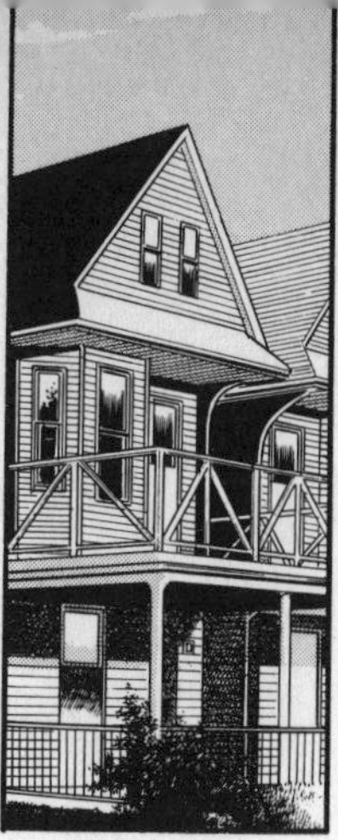

課長 島耕作

STEP 9

ON THE《明》 SUNNY《るい》 SIDE《表》 OF THE《通》 STREET《りで》

弘兼憲史

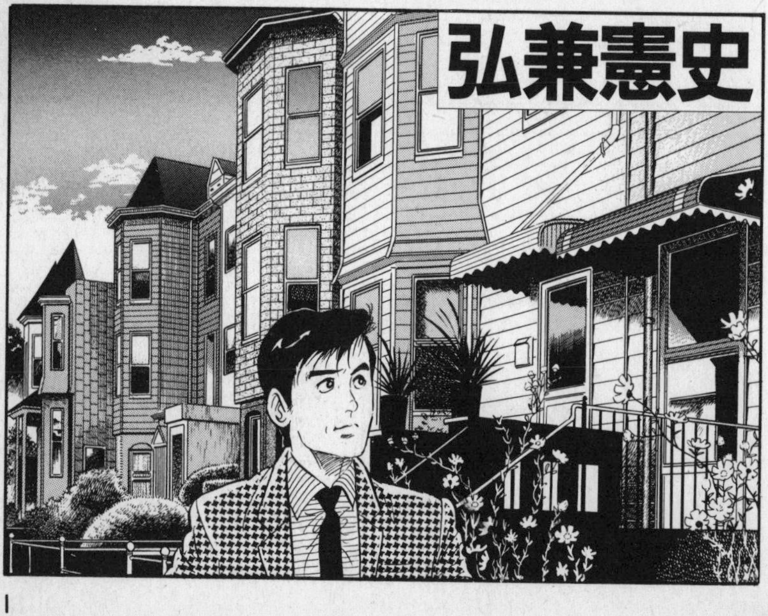

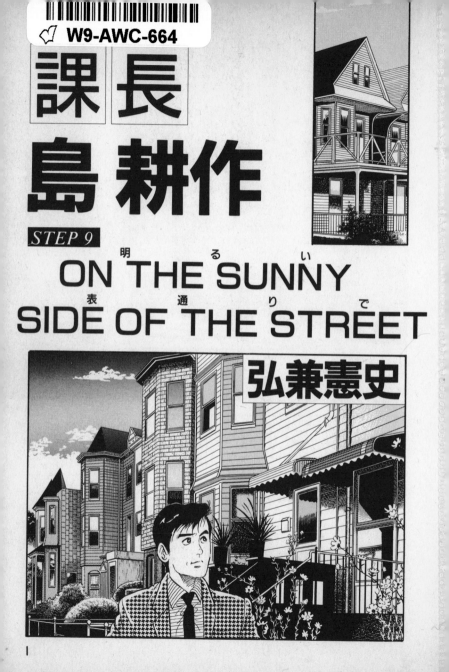

セントラルパークの朝は
小鳥の鳴き声と中年ジョガーの
スニーカーが路面を叩く音で始まる
アメリカ人は本当に
ジョギングの好きな国民だ
老若男女いり乱れて
会社へ行く前の1時間を
体の鍛練に費すのだ
タッ
タッ
タッ

アメリカのエグゼクティブは
多分にストイックな戒律を作り
自らそれに縛られるのが好きらしい
タッ
タッ
肥満体と喫煙者は
会社のトップになれないという
風潮が蔓延しているのだから
信じられない
ふっ
はっ
つまり
自己を管理出来ない人間が
他人を管理出来るわけがない
という発想なのか……
そういう意味での厳しさは
日本よりはるかに上だ
とにかく俺は この
自律社会になじむべく
毎日胸クソの悪い
ジョギングをしている

へえ 感心ね
それで少しは
やせたの？ コーサク
それが全然だめなんだ
運動したおかげで
腹が減って
ジョギング姿のままで
デリカテッセンに
飛びこんで
ホットケーキを５枚も
食ったりするんだから
アーハッハッハッ
それじゃ何にも
ならないわね
どう？ その他に
ニューヨークに来て
何か変わってることって
あるかしら？

あるある
ＯＬが通勤の時
スーツの下にナイキの
スニーカーをはいたり
してるだろう
あんなの東京じゃ
おめにかかれない
ファッションだ
そうね　こっちの人間は
よく歩くわよ
靴はオフィスのロッカーで
はきかえるの
合理的でしょ
それから昼食時は
みんな　その辺の屋台で
ホットドッグと
コーラを買って
明るい表通りのビルの
縁石に腰かけて食べている
ちょうど今の俺達
みたいにね……
ジーンズはいた若者も
三つ揃いのスーツで決めた
ビジネスマンも
まわりのことなど
全然気にしないで昼食を
パクついている
それで全く違和感がない
これは不思議だね
FRANKFURTER
ITALIAN ICES 50
それがこの町の
いいところなのよ
１人１人が自由に
生きるためには
他人のことには
干渉しない
これは大原則だわ
そうだなニューヨークのように
異民族の集まった文化地域では
その辺の個人主義を徹底させ
なければならないだろうな……

その他 東京と
違ったところは？
あるけど
ありすぎて……
すぐには
うかばないな……
そうだ
町の中に馬車が
走ってる！
あれは何だい
一体！
アーッハハハハ
あれは最高にキッチュよね
私も不思議よ
乗ったことある？
あるわけないでしょ
あれはカモの観光客相手の商売なの
……でも１度
乗ってみたいわね!!
面白そうじゃない
面白いかも知れないけど
相当な勇気がいるぜ
俺は死んでも嫌だね

タッ
タッ
タッ
たいしたもんだ
俺は今朝も走っている
はっ
ふっ
ニューヨークに来たら
根性がついたのか……
というより これは
自分の腹をすかしておいて
タッ
タッ
タッ
公園の外にあるレストランで
うまい朝食を食うためなんだ

いわば日本の立ちぐいそば屋
といった感じだが
朝食のメニューはなかなか豊富で
今日の俺の朝食は
クロワッサンにマフィン
カリカリに焼いたベーコンに
ほうれん草入りの
オムレツとコールスロー
それにトマトジュースと
たっぷりの
アメリカンコーヒー
しめて4ドル50セントは
リーズナブルだ
モグ
モグ
キ
LARMEN
LARMEN
カチャ

俺は偶然
アイリーンをみつけた
CHu
ブロロロロー
ブロロロロ
LAMEN
Dosanko
RESTAURANT
E 47 ST
カッ
カッ
ガラス越しに垣間みた風景は
明らかに昨晩一緒に過ごした
男との別れだった
そういえば俺は
彼女のことを何も
知らないでいる……

アイリーンとのセックスは
市内のホテルで
週に1〜2回ぐらいだ
俺は一応 自分が
彼女のステディだと
思っていたが どうやら
それは思いちがい
だったようだ
第一 彼女が独身か
どうかもまだ
聞いたことがない……

なあ……
アイリーン
ん……？
他人のことに干渉しない
というのが大原則というのは
わかっているけどさ……
俺は君のことをあまりに
知らなさすぎる
SO WHAT？
まずどこに
住んでいるのか？
独り暮らしなのか？
ボーイフレンドは
他にもいるのか？
俺はそういった
きわめて低レベルの
疑問を明らかに
したいんだ……
じゃ
次の土曜日
うちに来て

土曜日のブルックリンは
明るい陽差しにつつまれていた
イーストリバーをはさんで
マンハッタンと
向かいあわせにある
この閑静な住宅地は
驚くほど色彩が豊かだ
I. MORLEY
コン
コン
コン
アイリーンはこの借家に
一人暮らしだと言う

ハイ！
コーサク!!
待ってたわよ
ガチャ
花を持って来た
……
うわあ素敵
ありがとう!!
はいって
紹介したい人が
来てるの
やっぱり
あの日の朝
あの車の中にいた
あの男だ

紹介するわ
ロバート＝アレン
時々 うちの仕事
やってもらっている
イラストレーターよ
はじめまして
シマ コーサクです
ハツシバアメリカの
ＡＤやっている
ギュッ
痛《つう》！
２年前から
彼女と
つきあっている
……
ボブと
呼んでくれ
この黒人は もの凄い力で
俺の手を握った
それは敬愛ではなくて
敵意《ホスティリティ》そのものだ
相手は顔は穏やかだが
掌《てのひら》を通じて
そのことを俺に伝えてきた

それから俺達はアイリーン手造りのビーフストロガノフを囲んでしばし談笑した
映画のこと
音楽のこと
スーパーリアリズムのこと
サンボリスムのこと
日米関係のこと
ホモセクシュアルのこと
内容は多岐にわたりボブという男はかなりの知識を持った人間だということがわかった
ヒクッ
THE FIRESTONE VINEYARD
しかしこのインテリもカリフォルニアワインが少し効きすぎたようだ

ところでコーサク
君はアイリーンと
何回寝たんだ……
ボブ 飲みすぎじゃないのか
そういう話題はこの場に
ふさわしくないな……
興味索然もはなはだしい
じゃ 話題を変えよう
アイリーンは 彼女の
会社の中でも
評判の美人だ
言い寄ってくる男も
たくさんいる
しかしアイリーンは
そういう男には
興味がないんだ
彼女が相手に
する男は 俺とか
あんたのような
有色人種《カラードレイス》ばかり
なんだぜ……
何故かわかるか？
コプッ
コプッ
ボブ！
やめてよ！

彼女の父親が昔
南部の黒人専用の教会で
牧師をやっていてな……
ＫＫＫ《キュークラックスクラン》と正面から
渡り合って 奴等に
殴殺されたんだ
ボブ！ 何を
言いだすのよ!!
それ以来この女は
白人嫌悪症になってな
反動として俺達のような
有色人種と
好んで寝るのさ……
彼女も可哀相な
女なんだ
それ以上
へらず口をたたくなら
貴様のアゴに
パンチをお見舞して
しゃべれなく
なるように
してやるぞ
FUCK YOU
JAP!

こうなったら
後へはひけない

やめてよ
2人とも!!
やめて!!
DO BE SILENT!!
ガララーン
ああ 私は確かに
性的偏執狂かも
しれないわよ!!
でもね あんた達と
違って平和主義者よ!!
野蛮な殴り合いには
ついてゆけないわ!!
バカみたい!!

バタン
……
ほら これ使えよ シマさん……
サンクス…
それから俺達は黙々と
ケンカの後始末を始めた
割れたグラス 飛び散った
ビーフストロガノフ
壊れた椅子の修理
あっという間に夜が来た
その晩アイリーンは
帰ってこなかった……

タッ
タッ

日本音楽著作権協会(出)許諾第8527509-501号

アーハッハッハッ
最高よ２人とも！
すごく似合ってるわ!!
しからば
早速
参りましょうか
ギィ
ギィ
ギィ
２人の男に１人の女
アンバランスな構図だが
この都会では殆んど
不自然さを
感じさせない……
Grave your coat and get your hat
leave your worries on a door step
Just direct your feet
to the sunny side of the street
パカパカ
ポコパコ
同心円ではなく
別々の３つの円が
不規則に動きまわって
時々接点を持つという
新しいタイプの生き方
俺は悪くないと思った
NEW YORK
LETS CLEAN UP
NEW YORK

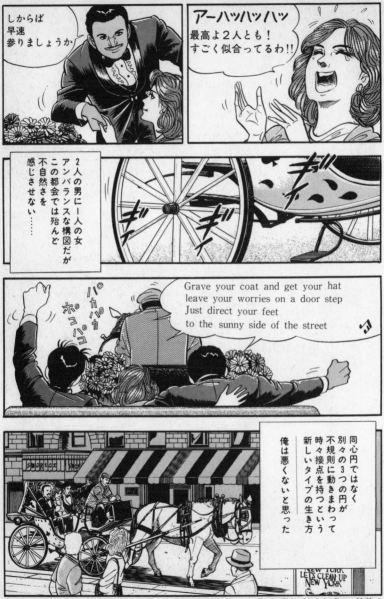

あれ？
おかしいな……
COSTUME
どうした
明日撮影に使おうと
思っていたタキシードが
２着見当たらないんだ
SQUIRE
ON THE SUNNYSIDE OF THE STREET
5月のニューヨークは
夕方の風が
ミンクのように柔らかい

第９話／おわり

STEP 10

マイ《My》 フェア《Fair》 レディ《Lady》

マンハッタンを斜めにカットする道
ブロードウェイ……そして
そのブロードウェイの西47丁目から
57丁目あたりまでの地区を
タイムズスクエアという……
MIDORI
MELON
SONY
Enjoy Coca-Cola
42ND STREET
周知のように ここは
世界の舞台人にとっての〝檜舞台〟で
このわずか10ブロックの中に
約40軒の劇場が林立している……
CATS
CATS
Hawaii Kai
IROHA SUSHI
JAPANESE RESTAURANT

栄光と挫折が交錯する
このタイムズスクエアは
同時に 莫大な金が動く
大投資地域なのだ
ここでの興行は
その芝居《ミュージカル》を打つにあたっての
資金を一般投資家に頼る
システムになっており……
42nd
STREET
BEST MUSICAL
TONY AWARD 1981
CHORUS LINE
SHUBERT THEATRE
その芝居が大ヒットすれば
投資家は一夜にして
大金を手にすることが出来
失敗すれば その場で投資額の
総てを失うことになる……
つまり 大きな危険と背中合わせ
になったアメリカンドリームが
このせまい地域に渦まいている
EDISON THEATRE
Oh! Calcutta!
NEW YORK
LONDON
PARIS
MADRID
STOCKHOLM
SYDNEY
COPENHAGEN
BRUSSELS
RE TICKETS
HICKEY'S
SIDE TICKET AGENCY
ALL SPORTING & THEATRE EVENTS
42

その中の一角に ワイスコフ劇場というのがあり
我が初芝電産は この老舗の大劇場の前に
巨大なHATSUSHIBAの文字を
ネオンサインにして設置するという
快挙を成し遂げた……
WEISCOFF THEATRE
DO NOT FLY ME TO THE MOON
HE MOON EXHIBITION ON
Weiscoff Theatre
DO NOT FLY ME TO THE MOON
WEISCOFF THEA
DO NOT FLY ME TO THE MOON
ガーーー
ガガガガ
この10文字は
ワイスコフ劇場の2階ロビーの
正面に位置し ロビーからは
圧倒的な力強さで
人々の目に飛びこんでくる
おーい
水口さん!

おう！島か！
そして この男が快挙をやってのけた立役者
屋外広告課の水口治雄 40歳
どうだすごいだろう見てくれよこのでっけえネオンを
タンタン
芝居の幕間《インターミッション》の時に観客は中2階のロビーに出てくる そして彼等はこのHATSUSHIBAのネオンによって足元を照らし出されるんだ……
そりゃ抜群の宣伝効果だ凄すぎて逆に反感を買うんじゃないですか
ハハハ そうなれば望むところだ
ところで昼飯でも一緒に食わないかちょっと会わせたい奴がいるんだ
いいですね

水口が俺に紹介してくれたのは女だった……
紹介する　こちら
プレスエージェントの
ゼネラルマネージャー
クララ・シェールさんだ
はじめまして
島耕作です
よろしく……
実は彼女のおかげで
今回のネオン装置の
契約がとれたようなもんだ 彼女は
ブロードウェイでは
ちょっとした顔なんだよ
ノーノー
私はただ
口をきいただけ
それはハルオの実力
プレスエージェント
というのは
どんな仕事なんですか？
新作ミュージカルのＰＲを
一手にひきうけておこなう
代理店よ
新聞　ＴＶスポットそして
ポスター等の　あらゆる
媒体を使うわ

ハルオと知り合ったのは ポスターやっている時に カメラマンに 紹介してもらって その時以来のお友達よ
実は島 こいつ今 俺の女なんだ
そうだろうと 思った
どうだ いい女だろう 知性的で キャリアがあって…… 日本にはちょっと ないタイプだぜ
そうですね 水口さんも スミにおけない な……
おまえも 単身赴任だろう 女ぐらい見つけろよ 何だったら 紹介してやるぞ
はあ…… 考えて おきます
「俺にはアイリーンがいる そしてクララ女史より もっともっといい女ですよ」 と言いたいところだが……
ま ここは 水口先輩の顔をたてて 伏せておこう

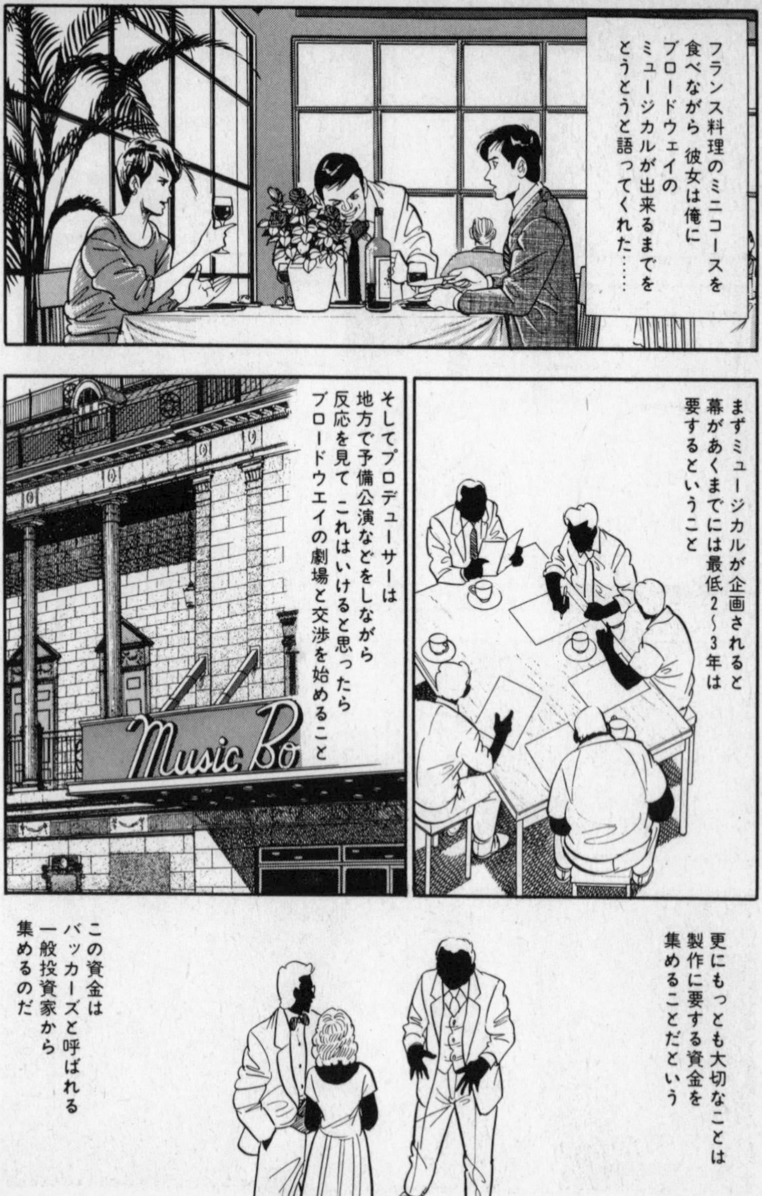
フランス料理のミニコースを食べながら 彼女は俺にブロードウェイのミュージカルが出来るまでをとうとうと語ってくれた……
まずミュージカルが企画されると幕があくまでには最低2～3年は要するということ
そしてプロデューサーは地方で予備公演などをしながら反応を見て これはいけると思ったらブロードウェイの劇場と交渉を始めること
Music Bo
更にもっとも大切なことは製作に要する資金を集めることだという
この資金はバッカーズと呼ばれる一般投資家から集めるのだ

トクトク
そう だから
そのショーがあたれば
バッカーズ(株主)は
その出資額に応じて
利益の配当を受ける
ということね……
ということは
一種の株式会社
みたいなもんだ
株というより
商品相場の
先物取引だな
そのかわり
あたらなかったら
配当金はおろか
出資額も返ってこない
総てパーだ
この雑誌を
みて 島さん
エンジェル？
何ですか
これは？
ANGELS 4
ミュージカルの
プロデューサーに
とっては
ショーに出資してくれる
㊎族は いわば
天使なのね
それは誰がどのショーに
どれくらい投資しているか
全部載っている
バッカーズ連のリストなの

そのショーで
儲けが出ることは
多いのか？ クララ
残念ながら
そうも言えないわね
厳しい世界だわ
去年の例をとると 上半期で
新しいショーがスタートした数は
20あまり……そのうち半分が
１ヵ月以内に打ちきり そして
そのうち３本は３日で
打ちきりになったわ……
HUMAN JUNCTION
2～3年もかけて準備をして
3日で幕をおろされることもある
残酷な世界ね
逆に あたると
凄いもうけに
なるんでしょ
そうね たとえば
マイフェアレディは
35万ドルかかった経費を
最初の10週間でペイして
そのあとはずっと利益

キャッツは
500万ドルもかかった
制作費(元金)を
10ヵ月で回収して 以後
ずっと儲けになっているわ
投資家達は10ヵ月目に
出資額の全額払い戻しをうけ
その後は今日に至るまで
配当金がどんどん
転がりこんでくる
というわけ
笑いがとまらないわね
Winter Garden
CATS
WINTER GARDEN
なるほど……で
最近はどんなミュージカルが
高配当を続けてるんだ?
そうね まず
シュープリームズを
モデルにした
「ドリームガールズ」
今言った「キャッツ」も
そうだし ロングランの
記録を更新中の
「コーラスライン」
なんかはすごいわね
その他にもあるわよ
「サンディ インザパーク
ウィズ ジョージ」
アンソニークインの「ゾルバ」
REAMGIRLS
GIRLS

THE TAP DANCE KID
タップの天才少年を描いた「タップダンスキッド」ま　これはつまらないお話だけど踊りの素晴しさでヒットしてるわよ
「マイ ワン アンド オンリー」「ラ カージュ オー フォール」なんかも見事に成功をおさめた作品ね
すごいな 万馬券の特券を100枚買ったような気分だろうな……
どう？ シマさん あなたもひとつバッカーズになってみない？
そりゃ確実にヒットするってことがわかってりゃ喜んで投資しますけどね……
それじゃ賭けにならないか

ところが それが
あるのよ！ 今私が
担当している
「ドゥノット
フライミー
ツー ザ ムーン」
これは凄いわよ!!
え？
いままで いろいろ
宣伝《プロパガンダ》を担当して
きたんだけど こんな
すごいのは見たこと
ないわ！ 日本民話の
「かぐや姫」をリメイク
した作品なのよ
かぐや姫？
あの「竹取物語」
ですか？
そう 竹から生まれた
姫《プリンセス》が成長して
月へ戻ってゆくという
ＳＦストーリーなの
スピルバーグの
「Ｅ・Ｔ」も
このタイプの作品で
大ヒットしたでしょう？
なるほど……
で 音楽 演出の
方はどうなんだ
ご機嫌か
？

それが最高《グレイト》なの 音楽は あの スピーディ・ワンダーが 担当してるし
演出はトニー賞を 2回も獲った ボボ・ホッシーなの 盤石の布陣でしょ
great!
これが うちの エージェントで作った ポスターよ まだ試作だけど
DONOT FLY ME TO THE MOON
バッカーズオーディションは いよいよ3日後に せまっているの！ どう？ シマさん 参加してみない？ 絶対保証するわよ
バッカーズ オーディション？
投資してくれそうな人間を 集めてパーティーをするんだ そのあと曲を聞かせて 芝居のあらすじを話し メインスタッフを紹介する
ま 俺達には 縁遠い話だけどね

当日は 見るからに㊎といった人種が
集まってくるんだ
そして その内容を聞き
投資するかどうかを決定する
DONOT FLY ME TO TH
つまりプロデューサーにとっては
ここが正念場なんだな
1回のオーディションで全額集まる
こともあるし 目標金額に
全く届かない時もあるさ
ところで投資の単位は
どれぐらいなんですか
ミス シェール？
ミュージカルの総予算が
400万ドル 投資は
1口8万ドルで募るわ
8万ドル……
2000万円か
こりゃとてもムリだ
HAHAHA
俺達庶民に
とっては
夢のまた夢
ということか
あら せっかくの
情報なのに
もったいないわね

じゃな島！
ごちそうさん
TREACHERS
Chips
RESTAURANT
NO STANDING ANY TIME
俺 今日はもう会社に帰らないからな……よろしく頼む
ちょっとな…
ああわかってますよ
おまえも早くマイフェアレディを見つけろ！いいもんだぞこっちの女も
俺のマイフェアレディはアイリーンだ……ただ残念ながら俺は彼女に対する占有権がない……
THE CHASE EXCHAN
水口に刺激されたわけでもないが 俺の足はアイリーンのアパートの方に向かっていた……

アイリーン？
俺だよ
コーサクだ
ONE WAY
WALK
いや ちょっと
近くまで来た
もんだから……
いるかなと
思って……
今日はアイリーンの
生理休暇の日だ
あら
コーサク!?
いらっしゃいよ
ちょうど今
ボブも来てるの
え？
ボブが
え……と そうね
15分後に来て
手づくりの
クッキーと
紅茶を用意して
おくわ
15分後という時間指定が
ある情況を想像させた
アイリーンは裸なのだ

アイリーンは
ボブとセックスをしていた……
しかも生理休暇の日にだ……
あ……いや
ボブが来ているのなら
遠慮するよ
俺も時間があんまりないし
……
コーサク
待ってよ
Phone
しかし そんなことで
俺の気持は変わらない
俺はアイリーンを愛している……
だからこそ余計に今は憂鬱《ブルー》だ
俺はボブに嫉妬している
チン
アイリーンは やはり
少しかわった趣味が
あるようだ……

PANAM
シマさん
ちょっと
いいですか？
何だ？
スザンヌ
実はD.R.B.に１ヵ月前に
支払ったはずの16万ドルが
まだ入っていないと先方から
電話があったんですけど
ちょっと調べてもらえませんか
16万ドル？
そりゃ大金だな
我社《ハツシバ》の窓口は
誰だ？
屋外広告課の
水口さんです

DO NOT FLY ME TO THE MOON
DO NOT FLY ME TO THE MOON
FLY ME
DO NOT FLY ME TO THE MOON
何だ 島？どうしたんだ？
水口さん ちょっと あんたに話があるんだ
どうだ 見ろよ島！この素晴しいネオンサインを！

ちょうど今から点灯実験をするところだいいところに来た
おそらく空前の大ヒットになるであろう「ドゥノット フライミー ツー ザ ムーン」はいよいよ明日開幕だ その日に間に合わせるよう必死で頑張ったんだ
水口さん あんた16万ドルをどこにやったんだ
バッカーズ オーディションに行ってな…… 2口投資したよ
水口さん 自分がどんなことをしたのかわかってるのか 会社の金を横領したんだぞ！
さあ スタンバイOKだ！点灯用意！
ON！

WAOO

島！
俺は今まさに
アメリカンドリームを
つかもうとしている
このネオンが
俺の前途を明るく
照らしてくれている
ような気がする
パチ
パチパチ
パチパチ
パチパチ

HATSU
パチパチ
パチパチ
パチパチパチパチ

しかし 勝手に会社の金を流用すると！

島！ D・R・B・には俺が話をつける 半年後には充分な利子をつけて返すんだ！ おまえさえ黙っていればわかりはしない!!

しかし水口さん
もし この興行が
あたらなかったら
……………
俺はクララの言葉を
信じている
絶対に大ヒットする！
それに そんなことを
考えていたら 一生
大金を手にする
機会はないぞ
ニューヨークという
世界をみていたら
日本のサラリーマンで
一生を終えるのが
とてもむなしく
感じてきたんだ
俺は今に賭けた
わかってくれ
島！
わかるもわからないも
とにかく芝居は
明日開幕だ……

STEP 11

タキシード《Tuxedo》ジャンクション《Junction》

新作ミュージカル
「ドゥノット フライミー
ツー ザ ムーン」
の幕は切っておとされた
WEISCOFF THEATRE
DO NOT FLY ME TO THE MOON
DO NOT FLY ME TO THE MOON
WEISKOFF THEATRE
芸居が当たらなかったら
3日もたたないうちに打ち切られることも めずらしくない
この世界である……
初日の動向は バッカーズ
(製作費出資者)にとっても
大いに気になるところだ

そしてここにも一人のバッカーズがいる
やあ島！
水口治雄 40歳 我が初芝アメリカの屋外広告課長だ
どうだ 見てくれ この人間を！ すごい入りじゃないか！ みんなこの「ドゥノット フライミー ツーザ ムーン」を見にきてくれたんだ
つまり この芝居に投資した俺を儲けさせてくれる人々だよ
しかし あんたが投資した16万ドルは 会社の金を横流しして作ったもんじゃないか
ああ そうなると いいが……
ははは 心配するなって おまえには迷惑かけんよ

芝居は面白かった
日本の竹取物語をアレンジした
このアメリカ版「かぐや姫」は
オリエンタルな曲想も相まって
充分楽しめる作品だった
ところが　客の反応が
何故か
もうひとつ鈍い
幕間《インターミツシヨン》

HATSUSHIE
ザク
ザク
ザク
ザク
ザク
水口さん
どうですか
俺の感じですが
イマイチうけて
ないような
気がしませんか
何！ 後半に
ぐっと盛り上がって
拍手喝采さ
ハーイ
ハルオ！
やあ
クララ
素晴らしいじゃない
この新しいネオン!!
すごいアピールよ
ハハハ すべて
君のおかげさ
感謝してるよ

あ 第2部が始まるブザーだ
クララ！
あ！ 今行くわ ジェフ
じゃねハルオ！ また!!
……
水口の表情に一瞬 不安そうな影が走ったが 俺には それが 芝居の先行きを暗示する かのようにも思えた

さあ戻ろう あの月へ
あそこは平和で
素晴らしい世界だ
欲もない そのための戦いもない
ひとりひとりがみんな平等
強い力も弱い力も
みんな同じ暮らしが出来る
これこそ真の姿
あるべき共同体
何故地球の人間は
このことに
気づかないのか
客席から
ブーイングが
はいった
BOo
そして大きな盛り上がりも
ないままに幕《エンディング》——
カーテンコール——顔見せ
パチパチ

通常 最後のこの場面では
観客は立ちあがって
拍手を送る――
スタンディングオベイション
があるべきなのだが……
立ちあがっているのは
バッカーズらしき人間ばかり
そして この夜の反応が
このミュージカルの今後の
評価そのものであった
FLY ME
TO
THE MOON
WEISCOFF THEATRE

判決は翌朝下った…………
おどろくべきスピード審理だ
見てくれ島……このザマだ
ニューヨークタイムズを始め各新聞社の文芸欄はこの新作ミュージカルの酷評を載せるために いつもより多く誌面をさいている……
まいったぜ
ナニナニ
かつて これほど凡庸な作品を見たことがない……内容は退屈で歌も踊りも練習不足の感がぬぐえない

それならまだいい
こっちのやつを
読んでみろ
名門ワイスコフ劇場が
ブロードウェイで
この駄作を
3日以上続けるなら
今日まで築きあげた
伝統と名声を一気に
失うだろう……
こりゃ
ひどい
ドゥ ノット フライ ミー
ツー ザ ムーンは
政治的な色あいが強く
月から来た使者達の歌は
あきらかに共産主義礼讃
である 脚本家の
バネッサ＝
グレープフルーツは
作家というよりもむしろ
単なるヒステリックな
コミュニスト集団の一員だ
もういい！島！
やめてくれ!!
ガタッ
もうだめだ
このショーは
当たるどころか
元金も回収出来ない
……
俺は破滅だ

5日後　件《くだん》の女性脚本家は
酷評から逃れるように
あっさりとソ連に亡命し……
この挙措が
保守的なニューヨーカーと
ブロードウェイ愛好者を
痛く刺激した
MY ONE AND ONLY
"STAR SPANGLED FIREWORKS! I NEVER LOVED ANYTHING MORE!"
"MY ONE AND ONLY" IS SPUN OUT OF THE PUREST GOLD!"
とんだとばっちりを受けた
プロデューサー達があわてた
時は　もう手遅れの状態で
客足は完全に遠のき……
「ドゥ　ノット　フライミー
ツー　ザ　ムーン」は
開演から数えて10日後に
打ち切りとなった……
Theatre

初芝アメリカ 社長
大泉 裕介
で 島君
君が知った時は
もうすでに
16万ドルは投資されて
いた……ということだな
は はい そうです
……しかし水口さんは
決して悪意の横領では
なくて 金は必ず
返すんだという意思は
持っていました……
ふむ
……
その時 すぐに
そのことを会社に
報告しなかったのは
私の責任です
しかし 現実的に
あの段階では
もうどうにも
ならなかった状態
だし……
正直言って
水口さんが成功すれば
誰にも損害がない
それなら今の時点では
静観すべきだと
思ったのです

そういう判断《ドグマ》は
会社では通用しない
単に君は報告義務を
怠ったんだ
そうだろ?
その
通りです
……
私達は
クビですか
……
いや そうはしない
君の理論を借りれば
金は戻ったし
どこにも損は生じ
なかったからな
え?
水口は
東京の自宅を売って
会社からの借金に
充当することになった
……
HATSUS
ま 彼は
ワイスコフ劇場の前に
HATSUSHIBAの
巨大ネオン広告を
設置した功績もある
それで 今回の汚点と
チャラだ
君は君なりに
武人の情といった
ところだったんだろう
大したミスじゃない
……今後
気をつけたまえ

配転？ いつ？
来月本社へ引き戻されることになった……ま 当然と言えば当然だが……
そう……ですか
本社の地下にある資料室に行けだとさ……ま 典型的な閑職だよ この若さで 陽のあたらない窓際族になっちまった
なさけねえや

世田谷のお宅を売ったんですって？
ああ親父からもらった小さい家だからねどうってことないさ
家族には何と言ったんですか？
女房は子供を連れて岡山の実家へ帰っちまった……おそらく戻ってくることはないだろう
戻ってこないって……離婚ですか
そういうことだ まあ そうなっても当然の亭主だったからな……
いっそのこと米国《こっち》で永住権を取ってクララと一緒になろうかとも思っている
ハハハ

PUSH-PIN AGENCY
結婚？私と？
ちょっと待ってよ 何言ってるのよ 変なこと言わないでよ
しかし 俺達は あんなに 愛しあった じゃないか
白状すると 私のステディーは ジェフ…… ショーの初日に ロビーで会った 男よ…… 覚えてるでしょ
そして ジェフは「ドゥノット フライミー ツー ザ ムーン」の ジェネラルマネージャー 1人でも多くの投資家が 欲しかったというわけ わかるわね？
あの時点では あなたは ただの エンジェルだった…… ショーが失敗したのは とても残念だけど 地に堕ちた天使には 関心ないわ

アッハハハ そんなにビックリした顔しないでよ 困っちゃうわ
考えてごらんなさいよ どうして私が あなたのような日本人と寝るのよ …… ネ そうでしょ？

AMSTERDAM
3 BIG
DIXIE
FEVER
BUS
TECHERS
Winston America's Best
Times Square-42St Station
笑ってくれ 島
俺はそんなことにも
気付かずに 1人で
やにさがっていた……
堕ちた天使どころか
完全なるピエロだ
どうですか 水口さん
気分直しに ひとつ
はいってみませんか
pussycat

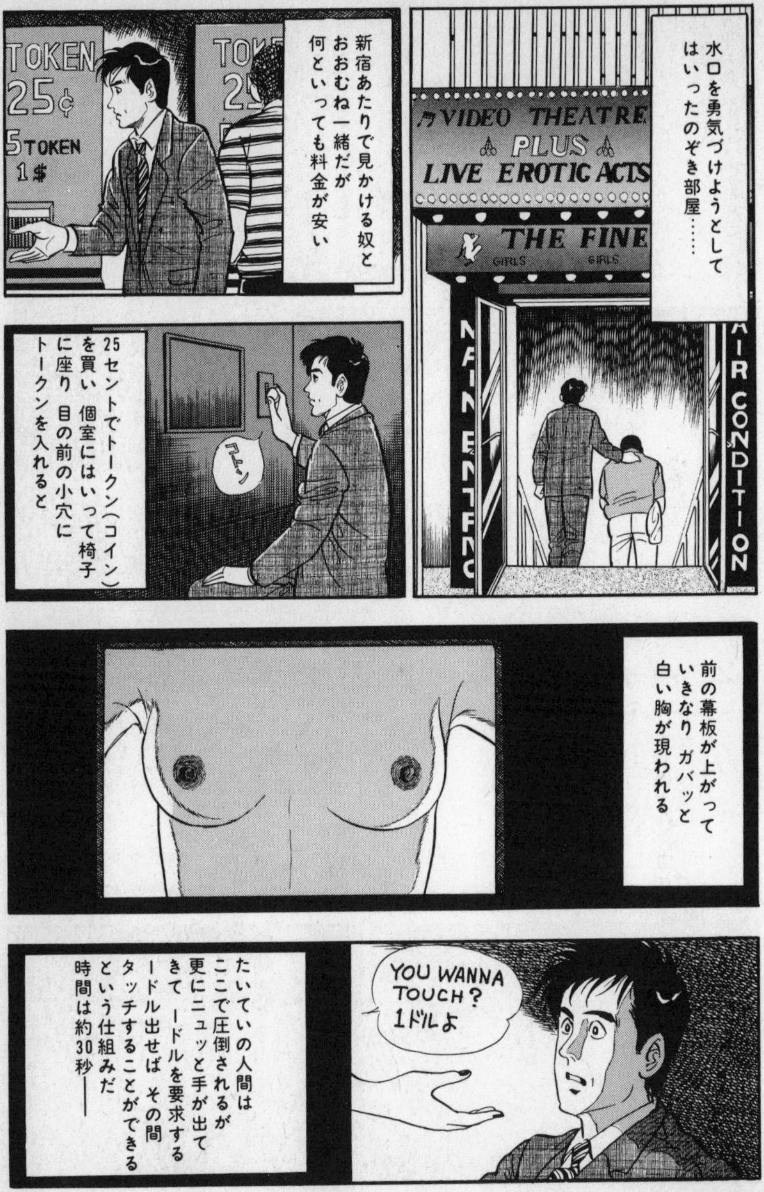
水口を勇気づけようとしてはいったのぞき部屋……
VIDEO THEATRE
PLUS
LIVE EROTIC ACTS
THE FINE
GIRLS GIRLS
AIR CONDITION
新宿あたりで見かける奴とおおむね一緒だが何といっても料金が安い
TOKEN 25¢
5TOKEN 1$
25セントでトークン(コイン)を買い 個室にはいって椅子に座り 目の前の小穴にトークンを入れると
コトン
前の幕板が上がっていきなり ガバッと白い胸が現われる
YOU WANNA TOUCH? 1ドルよ
たいていの人間はここで圧倒されるが更にニュッと手が出てきて 一ドルを要求する 一ドル出せば その間タッチすることができるという仕組みだ 時間は約30秒——

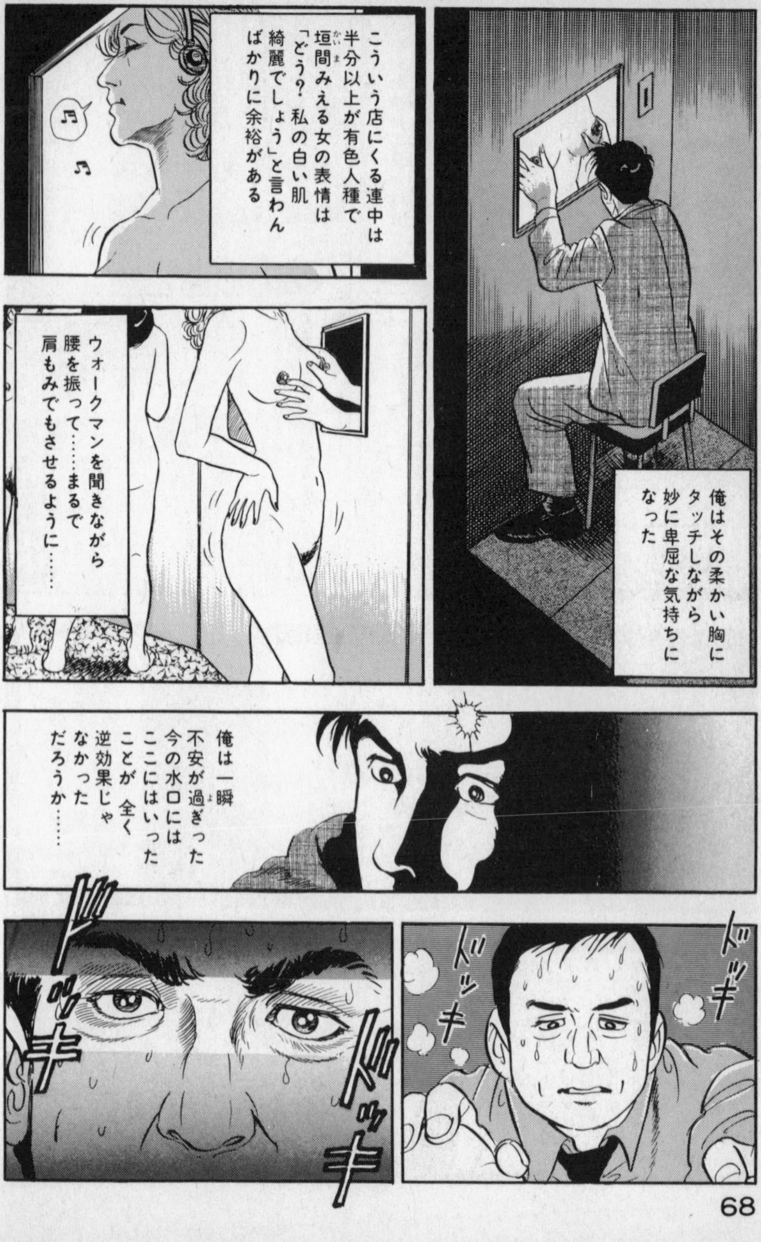
こういう店にくる連中は半分以上が有色人種で垣間《かいま》みえる女の表情は「どう？ 私の白い肌綺麗でしょう」と言わんばかりに余裕がある
♪
俺はその柔かい胸にタッチしながら妙に卑屈な気持ちになった
ウォークマンを聞きながら腰を振って……まるで肩もみでもさせるように……
俺は一瞬不安が過《よ》ぎった今の水口にはここにはいったことが 全く逆効果じゃなかっただろうか……
ドッギ
ドッキ
ドッキ
ドッキ

ギューーッ
OH! ミスター
痛いわよ! 離してよ!
ち……ちょっと
何すんのよ!
HELP
OuuuuCH
HELP!
ガタッ
はあ
はあ
はあ
BASTARD!!

離すんだ!!
この野郎!!
ボカッ
ドスッ
バキッ
ボグッ
MOTHER FUCKER!
待ってくれ!
そいつは俺の
友人なんだ!!
ダッ
水口さん!
OHHHHHHHH
NOooo.....!!
う……うっうっ
うううううう
ヒクッ
ヒクッ

うおおおおおおおお〜〜ん
で 水口さんは
どうなったの？
結局会社に
辞表を出して
日本へ帰った……
あとはどうなったか
知らない……

さびしい話ね……
ニューヨーク
なんかに
1人でくるからよ
あなたは大丈夫なの
コーサク？
そう言えば
俺も1人で
ニューヨーク
組か……
とにかく海外単身赴任の
男が一人潰れた……
BUSES
ONLY
BANK
口の中に残る苦さは
ビールだけではなさそうだ

第11話／おわり

STEP 12

ムーン《Moon》 リバー《River》

週末の2日間
俺はアイリーンと
グリニッジビレッジの安ホテルで
ベッタリ暮らしてみた
グリニッジビレッジは
ソーホーとならんで
学生や若いアーチスト達の
集まる地域だが 最近は
ソーホーがやたらと
高級になってしまったので
もっぱら この町に
ニューヨークの若者の
生活が象徴されている
女と2人で2日間
怠惰に暮らすことによって
ニューヨークの匂いと生活感を
吸収してみようと思ったのだ
BURGER KING

昨夜のワインの澱《おり》が
まだ 頭のどこかに
溜まっているような
だるい感じで
正午近くに目覚めると
やはりグレープフルーツ
のような新鮮なものが
欲しくなる……
ブランチを買いに
ブラブラと近くの
スーパーマーケットまで
2人で歩いてゆく……
昼前の散歩は
なかなか心地よい
ここでの値段は
大体次の通り
卵1ダース2ドル75セント
トマト1個1ドル
サラミソーセージ1本5ドル
Tシャツ15ドル
トレーナー20ドル
1ドル250円で換算すると
卵1個が60円にもなるが
1ドル100円で計算すれば
大体日本と同じだ
TOMATO 1$
TOMATO 1$05
EGGS·1 DOZ 2$75
GRAPEFRUIT
やはり「円」は国際的に
少し甘やかされて
いるのだろうか……
生活感に関する限りでは
1ドル100円が
どうみても妥当なところだ

アイリーンは俺に
オムレツを
作ってくれた……
トン
トン
へえー
なかなか
本格的じゃ
ないか……
いい手つきだ
卵に入れる牛乳と
フライパンにひく
バターの量が
難しいのよ
たった2日間なのに こういう過し方をすると
まるでずっと以前から 俺達は夫婦だった
ような錯覚におちいってしまう
とにかく リラックス
できるのだ
この気持ちは 妻の怜子には
感じたことがない

ねえ
コーサク
コリ
何だ？
奥さんのこと
思いださないの？
コリ
コリ
思い出すよ
時々ね
愛してる？
そういう言葉に
象徴されるような
恋愛感情はないね
変なの……
じゃどうして
結婚したの？
いや もちろん
結婚当初は
愛してたさ
だから一緒に
なったんだ

あら結構な
ことじゃない
アメリカでは
そういうの
常識よ
だけど そういう感情
ってのは 早晩なくなる
ものなんだ
だって考えてもみろよ
40 50になった夫婦が
結婚当初の恋愛感情の
テンションをそのまま持続
して ベタベタしてるなんて
気持ち悪いじゃないか
いや違うね
それは恋愛感情じゃ
なくて 家族が
こんなにも仲がいい
んだぞという ひとつの
デモンストレーションさ
ある種の言い訳《エクスキューズ》
だよ
生涯１人の人間しか好きに
ならないという奴がいたら
それはよほど鈍感な人間か
あるいはウソツキだ
だから夫婦間に愛がなくなったら
即離婚だというようなアメリカの
考え方は好きになれん
日本では
夫からみた妻というのは
一番愛する人
じゃなくて
一番大事な人なんだ
それで結婚生活は
持続出来る
なるほど

じゃあコーサク
私とこうしていても
奥さんに対しては
裏切りにならないわけ？
俺は
裏切っている
つもりはない
じゃ あなたのいない間に
奥さんが同じことを
していたら？
答えが出せなかった
……
自論を肯定する
のなら それも
「平気だ」と即答
しなければならない……
ということは
自分の言ったことには
どこか大きな錯覚が
あるのだ

島君
はい
まあ
かけたまえ
ガタッ
急な話だが
明日から2日ほど
東京へ行ってくれんか
は？
ほら 例の
社内宣伝物
コンクールだよ
毎年やってる
やつだ
今度は
ハッシバアメリカも
出品する

社内宣伝物コンクールとは
恒例の全社行事であり
前年度に実施された
あらゆる宣伝活動に対する
表彰式である
テレビ事業部
ラジオ事業部
モーター事業部
乾電池事業部
本社

本社の講堂を借り切って
ところ狭しと並べられた
ポスターやPOP 助成物
……etc.
年間数百億の宣伝費が
投下される
おびただしい宣伝物の
展示の山を
審査員が1日がかりで
見てまわり……

投票によって
それぞれの部門賞
金賞 銀賞 銅賞
そして社長賞等が
与えられるという
どうってことはない
社内活動だ

ところが この
どうってことはない社内の行事に
多大な金と時間が費される
はっきり言って極めて
非生産的な行事なのだ……
にもかかわらず各部署の
宣伝担当者は出品に
全力を注ぎこむ……何故か？
つまり
会社で出世する
ということは
いかに自分が
よくやったか
ということを
社内にPRして
認めてもらう
ということに
繋がっている
宣伝物コンクールも
それと同じことだ
で……
私が
何故《なにゆえ》に その
コンクールへ……
うちが
今年出品するのは
ワイスコフ劇場前に
設置した
HATSU
SHIBAの
大ネオンだ
すでにあらゆる方面から
写真を撮ってパネルにして
本社に送ってある
君はそのパネルの横に立って
審査員の前でいかに
このネオンのアピールが強いか
ということを説明してきて
ほしいんだ……
HATSUSHIBA
ハツシバ・アメリカ 宣伝部

実はあのネオンを作ったのは君だということにしてあるだから君が行ってくれ
ど どうして？あれは水口さんの手柄です！ 彼が1人で契約をとって……
バカたれ!!
水口は問題をおこして会社をやめた男だぞ
こんな手柄をたてた男が なぜ会社を去らなきゃならなかったのか調べられたらそれこそ大問題だ
そ……そうですね……
な 島君 2泊するだけのとんぼ帰りだが久しぶりにカミさんのシリでもさわってこいよ
感謝されるぞ
は はい

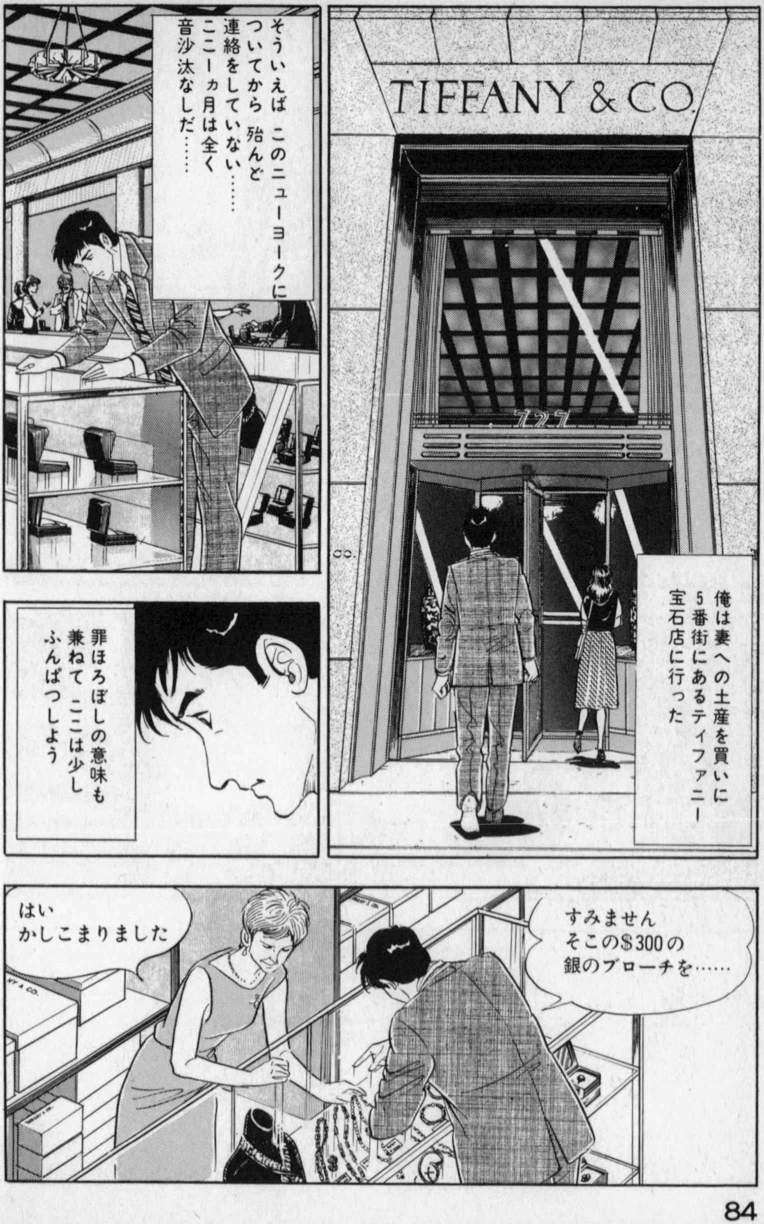
TIFFANY & CO.
俺は妻への土産を買いに 5番街にあるティファニー 宝石店に行った
そういえば このニューヨークに ついてから 殆んど 連絡をしていない…… ここ一ヵ月は全く 音沙汰なしだ……
罪ほろぼしの意味も 兼ねて ここは少し ふんぱつしよう
すみません そこの$300の 銀のブローチを……
はい かしこまりました

あわただしい
帰国だったので
妻に連絡をとる
暇がなかった……
いきなり帰るとビックリする
だろうな……
まずきっとノーメイクの
顔のままで台所にたちすくんで
「どうして一言連絡してくれ
なかったのよ」などと怒って
みせて……
それから かけ寄ってきて
おもわず抱擁……なんて
そんなバカなことはないか

半年ぶりの自宅周辺は
死んだ街のように静かだった
そうだニューヨーク
から かけている
ふりをしよう
ルルル
ルルル
あれ? 誰も
いないのかな?
買物にでも
いってるんだろうか

わが家は
留守だった
5時か……愛娘は
学習塾に行ってて
帰宅するのは7時頃だと
手紙に書いてあった
しようがない
帰ってくるのを待つか
しかし それにしても まあ
よく片づいている……
あいかわらずだな怜子は
この整然とした台所が
かえって居心地を
わるくするような気もする

ほい ほい
チン…
はい 島ですが！
………
？
もしもし
ガチャ
なんだ 間違いか
チン
失礼な奴だ 何もしゃべらないで
ブツブツ

ピタッ
……?
男?
電話の向こうにいたのは男じゃなかったのか
コト
ガタッ

ガタ
一体俺は 何をしているんだろう……自分の家にこっそり帰ってきてあき巣のようなことをしている
ガタッ
バサッ
今 自分がどんなに情ないことをしているかよくわかっているつもりだが……
しかし調べずにはいられない
こういう時には 男ならゆっくりタバコでもふかしながら鷹揚に構えるべきだろうが俺はそこまで人間が大きくない
妻に男がいると考えるだけで疑心暗鬼を生じ頭の中で鬼どもがチョウリョウバッコするのだ

ライター?
おかしい……妻は今までタバコは吸わなかった筈だ
俺がいなくなってタバコを始めたのかもしれない……いや よしんばそうであっても
このライターはデュポンの高級タイプだ そこいらの主婦がおいそれと買えるシロモノではない しかもかなり使いこんでいるじゃないか…… 一体誰のライターなんだ そして何故それが怜子のバッグの中にはいってるんだ
パタ

いいか
落ち着け
まだ妻に男がいると
決まったわけでは
ないんだ……
ライターは道で
拾ったのかもしれない
スキンは……
スキンは何故持っているのか
説明がつかない
コチ
コチ
コチ
コチ
俺は妻と子供が
帰ってくる前に
自分の気配を消して
家を出た……

PUB
東京連合
久しぶりの島ちゃんにくゎんぱああい
おおー!!
あきー!!
ヒック
なんだよう島公!
ほら おまえにこれをやろう! アメリカ土産だ
あら何よこれ!
ティファニー本店で買ったブローチだ

ティファニー？
どこかで聞いたことあるわね
ほら映画で
あったじゃない
「ティファニーで朝食を」
ってのがあ……
レストランでしょ？
そ！
ファミリーレストラン！
そのティファニーの
レジの横で売ってた
安物のブローチさ
いいわ
安物でも何でも
くれるものは
全部もらって
あげる！
アハハハハ
Moon river wider than a mile
カプセル イン 東池袋
その晩から2日間
俺は池袋の
カプセルホテルに泊った

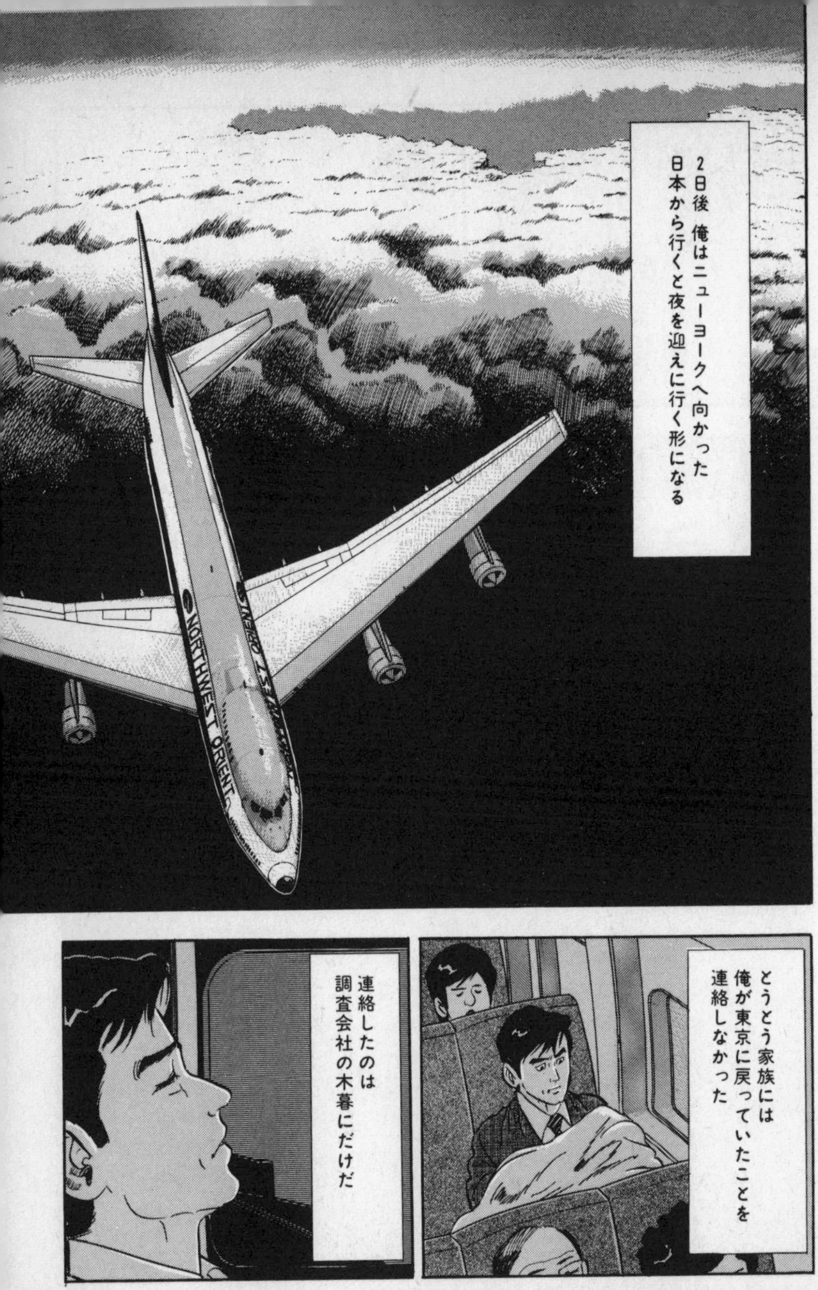
2日後 俺はニューヨークへ向かった
日本から行くと夜を迎えに行く形になる
NORTHWEST ORIENT
とうとう家族には
俺が東京に戻っていたことを
連絡しなかった
連絡したのは
調査会社の木暮にだけだ

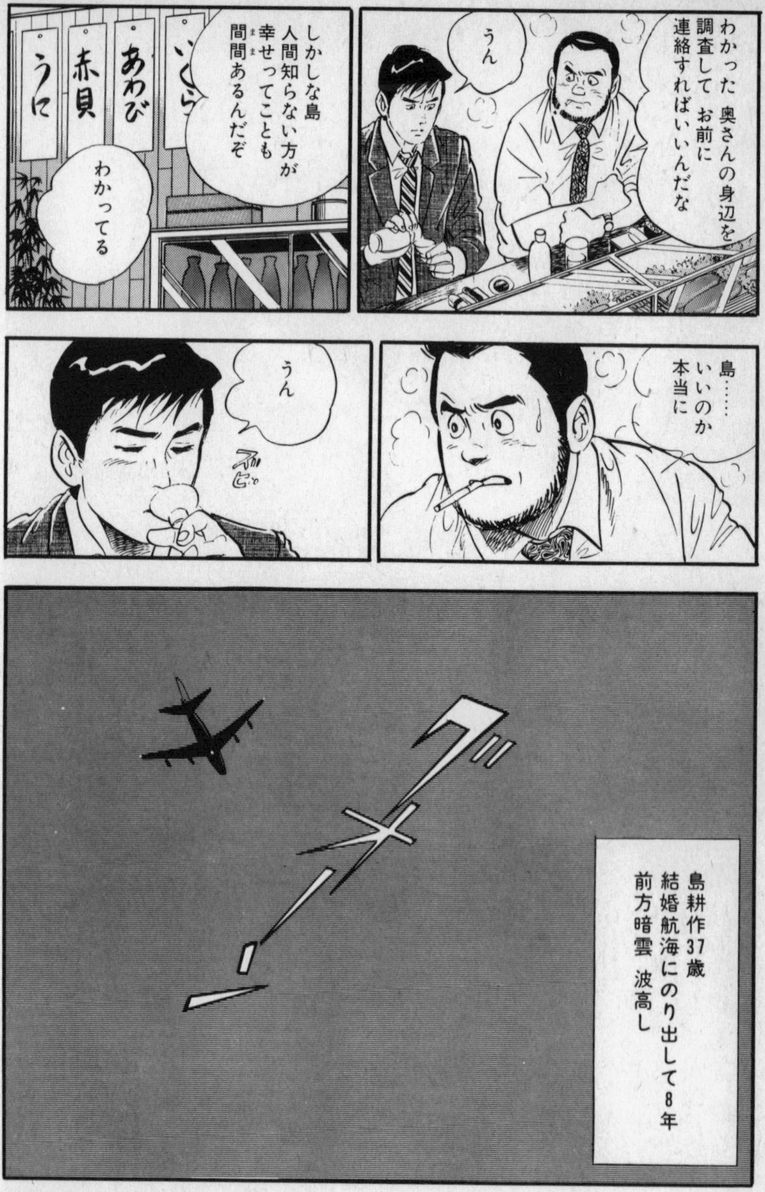
わかった 奥さんの身辺を調査して お前に連絡すればいいんだな
うん
いくら
あわび
赤貝
うに
しかしな島 人間知らない方が幸せってことも間間《まま》あるんだぞ
わかってる
島…… いいのか 本当に
うん
島耕作37歳
結婚航海にのり出して8年
前方暗雲 波高し

第12話／おわり

STEP 13

It's a sin to tell a lie

嘘は罪

THE HELMS BUILDING
OK じゃ
明日の10:00AMまでに
紙焼きをたのむ！
できるだけ急いで欲しいんだ
シマさん これ
ADスタジオに
とどけてきますから
ああ
たのむ
じゃな
アイリーン
あと
よろしく
BYE

タム
ふー
くそいそがしいな
まったく……
コーサク！
やっと２人きりに
なれたわね
よせよ
アイリーン
職場だ
ここは
そうよ だから
どうしたって
いうの？
職場は神聖な場所だ
不謹慎だとは
思わないか
あら日本の
サラリーマンて
そんなこと
思っているの？
ばっかみたい
なるほど
そう言われてみれば
そうだ……

ねえ 奥さん
浮気しているらしいんだって……？
そうなんだ……
でも俺の思いすごしかも知れない……
そのことを今 知り合いの探偵に頼んで調べてもらっているんだ
それで浮気してることが判明したらどうするの？
いちおう
こういうものも
日本から持ってきた
離婚届
昭和 年 月 日届出
長殿
受理 昭和
第
第
離婚届？
あらコーサク
あなた前に私に
何て言ったの？
自分の言ったこと
覚えてる？
WHAT？
日本では配偶者は
一番愛する人ではなくて
一番大事な人という認識でいい
……それで結婚生活は
維持できる……
そう言ってたわよ

奥さんはあなたを
愛していなくても
大事な人だと
思っているかも
しれないわ
そこを確かめないで
即離婚というのは
あなたの論理に
自家撞着が生じる
んじゃないの?
なるほど　その通りだ
……俺は言うことと行動が
一致していない
実に調子がよすぎる
俺は単に理性という
うすっぺらな鎧で
武装しただけの
小さい人間なのかもしれん
島君
カチャッ
あ! 社長

職場は神聖な
場所だ……
不謹慎だとは
思わないか
あとで
私の部屋へ来い
バタン
あなたと全く
同じこと言ったわ
おっかしい
悪いが
アイリーン
俺ちょっと
社長の部屋へ
行ってくるよ
口紅……
ついてるわよ
THA…
THANKS！

まあ そこへ すわりたまえ
あ あの……先程のことは……つまり…その……不徳のいたすところで……
島 女もいいけど身をもちくずすなよ 水口の例があるだろう!
おかげで奴にとっては自分の業績が他人の大手柄になっちまった 島! またおまえは出世街道の通行手形を手に入れたんだぞ
は?
やったんだよ島!!
本社から今テレックスがはいってな!

先日行われた社内宣伝物コンクールでハツシバアメリカのネオンサインが栄えある社長賞《グランプリ》をとったんだよ
わーははははははは…
グランプリを海外部門がとったのは前代未聞のことなんだ おまえの名前も売りこんだだろうが
初芝本社の人事部に向けて俺自身のPRにも成功したんだ ワハハハハ!!
ドサ
水口の野郎結構な置き土産をしていってくれたもんだ
俺は最近どうも他人《ひと》のフンドシで相撲をとっている
……そしてそれがことごとく勝ち星につながる

JAPANESE RESTAURANT
淀兆
YODOCHO
JAPANESE 淀兆 RESTAURANT
YODOCHO
正直言って
自分の実力以上に
評価されるのがこわい
JAPANESE RESTAURANT
淀兆
考えてみれば
妻の浮気云々を言う前に
俺自身の浮気は何なんだ
自分の浮気は認めても
妻の浮気は許せないなんて
そんなメチャクチャな論理はない
……ということは
俺は離婚を望んで
いるんじゃないのか!

今 気付いたが 俺達の結婚は間違っていたような気がする
怜子との結婚を決めた時からすでに離婚という概念がアプリオリな形で見えていたような気がする
俺自身の浮気も そして妻への懐疑も 浮気調査の依頼も この直感を成立させるための資料にすぎないのではないか……
カントだな これは……
どうですか お客さん! 結構いい寿司ダネ使っているでしょう
この店ははじめてですね
あ…うん ニューヨークで日本料理店にはいったのは初めてだ…… 高級そうだからなかなかきづらくてね
そうすね 日本料理は高いから会社の接待とかそういうのに使う人が多いですね

ほらあそこの壁の色紙……一流スポーツ選手とか映画スターとか……ああいう人が多いんですよ
ほんとだ ナカソネさんのもある！
平田満
ふーん じゃ 俺なんかが来るような店じゃないんだね
ところがね お客さん 値段の割りは料理の内容がひどいんだ
大きな声じゃ言えねえけどよ
たとえば このエビの天ぷらをみて下さいよ
うわ ずいぶんでっかいな…… それにコロモがたっぷりついてるね

でしょ！ 田舎の弁当屋 じゃあるまいし 下品なこと この上ないですよ
だってエビを 包丁で開いて 使うんだもの
どうして？
つまりアメリカでは 大きいことはいいことなんだ という文化があるんですよ こうする方がこっちの人には うけるんですな…… 日本料理屋ですが やはり ここでは6~7割が 外人さんですからね そっちの 好みに合わしちゃうんですよ
俺なんか 赤坂の 一流店で働いていたのに ここにきてこんな 田舎料理作らせられるなんて 情ねえ話すよ 全く
でも まあ こっちの方が よろこばれるのなら それでいいんじゃ ないのかなあ

そうでしょうかね
あっしゃ職人気質が
強いせいか
大きくみせるエビの
天ぷらなんて
許せねえっヌ
嘘は罪ですよ
やっぱ
It's a sin
to tell a lie
……
俺なんか
人生そのものが
罪の塊だ
××××××××××
×××××××
×××××××××
いやだ私……
英語
わからない
NO
SPEAK
ENGLISH
すみません
ちょっと助けて
くれませんか
私 話かけられたけど
何言ってるのか
全然わからないの
あなたを
誘っているんです
お1人なら 一緒に
飲まないかって!

だめだめ 私 人と待ち合わせしてるから
She says she is waiting somebody here
All right
どうもありがとうございました 助かったわ 私 アメリカは初めてだから
いいえ どういたしまして お1人でこられたんですか
そう 私のお店のお客様に招待してもらったの…… 昨日こっちへついたんです
お店?
ええ 私 銀座のクラブで働いてるんです 「クレオパトラ」って店! よかったら来て下さいね
するどい
お待たせ

ギラ
あ
……社長!
あら大泉さん知りあいなの?
ハハハまいったな島君……キミとアイリーンのこと
ボリボリ
これでチャラにしよう
はい!了解しました

天気がよかったので
アイリーンと2人で
エンパイヤステートビルに
のぼってみることにした
スルルル
コーサク
何持ってるの？
妻の浮気調査を頼んだ
探偵社の友人から
来た手紙だ さっき
受けとったばかりで
まだ開けていない
ショッキングな内容でも
落ちこまないように
高い所で読もうと
思ってね……

木暮からの手紙は
予想を裏切って
極めて平穏な
ものだった……
島……
結論から言えば
おまえの杞憂だ
怜子さんは浮気
なんかしていない……
俺は2週間
彼女を密着取材した
実はおまえが
日本へ帰った日のちょっと前に
彼は女子大時代の同窓会に
出席したらしい……
そこで旧友とダベっているうちに
ライターを間違えてバッグに入れて
持って帰ったのだと思う
島津
CAUTION

現に俺は彼女が後日
喫茶店でそのライターを
返すのをこの目で確認した
安心しろ 彼女の浮気は
おまえのとりこし苦労だ
男と交際している
気配はない……
……
よかったじゃない
奥さんの潔白が
証明されて……
というこことは
この離婚届の紙も
不要になったと
いうわけか
紙ヒコーキにでもして
ここから飛ばしたら？
そうだな
………

4F アーバンリサーチ社
HOTEL
紫
おとまり 3000
ビリッ
ビリッ
ビリッ

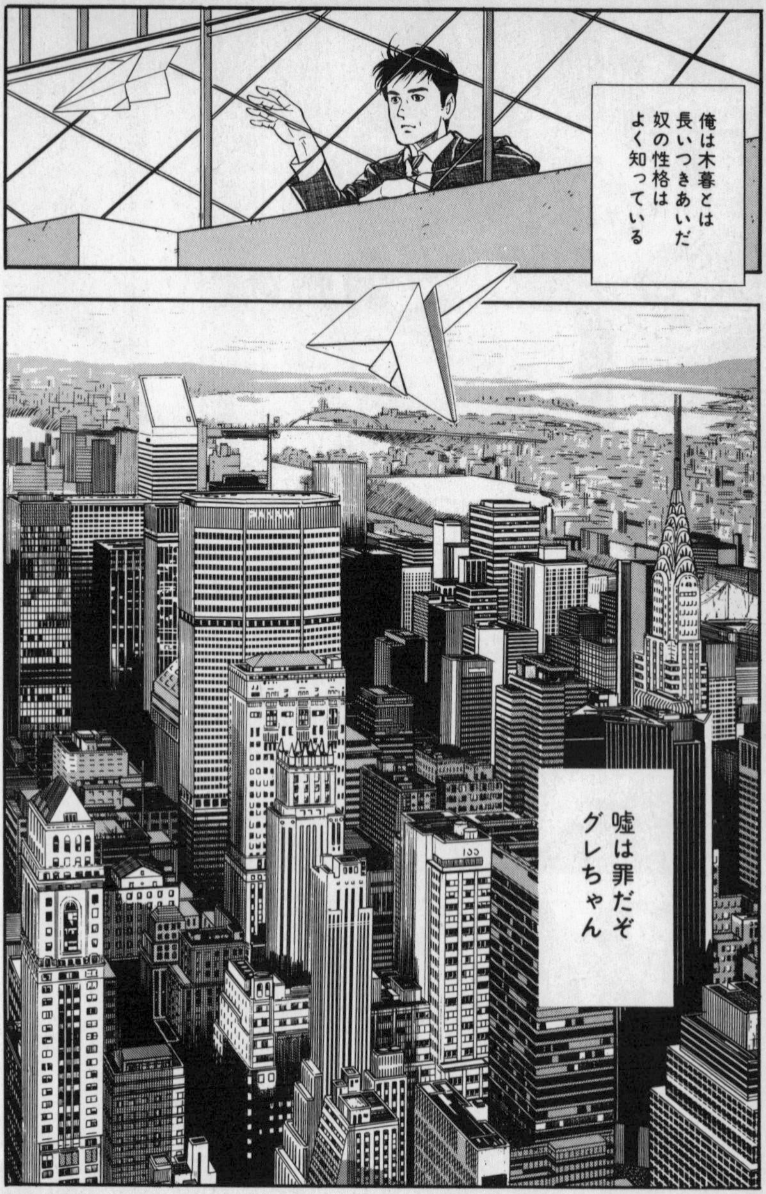
俺は木暮とは長いつきあいだ奴の性格はよく知っている
嘘は罪だぞグレちゃん

STEP 14

ニュー《New》ヨーク《York》ステイト《State》オブ《of》マインド《Mind》

WAY
ONE WA
E 47 ST
ニューヨークは人種のるつぼだ　アイルランド系市民 ユダヤ系市民 イタリア系市民 スペイン系市民等 世界各国から ありとあらゆる人種が集まって それぞれの国の習慣や生活様式の違いを うまくこの部屋の中に溶かしこんで生活しているエスニック社会だ
そして それぞれの人種が集まって暮らしている地域がある ウエストサイド物語で有名なキューバ人やプエルトリカンの集まっている地域
OFF LIMIT SHARK!!
ダウンタウンの「リトルイタリー」「コリアン街」そして「チャイナタウン」等々
PAN AMERICAN

しかし もっとも有名な場所は
ハーレムだ
ここはセントラルパークの北端
10km四方にわたって広がる
黒人居住地で 100万をこす
ニューヨーク在住の黒人の
過半数が住んでいる
と言われている……

そして このハーレムの一角のビルに
アイリーンのもう1人の恋人
イラストレーターのロバート・アレンが
住んでいる

アイリーン
君は平気なのか？
この街を歩いてて
あら…
どうして？
だって ハーレムや
ブロンクスの黒人街を
部外者が歩くのは
危険だって
聞かされているぜ
そういうのは
多分に この街の
雰囲気的なものから
くる 単なる噂話よ
だいたい この手の噂話は
旅行代理店の社員が
ツアーの客の日本人を
少し脅かしておく為に
大げさに作られたものなのね
彼等にしてみれば
めんどうがおこれば
自分達の責任に
なっちゃうものね……
それに部外者が
危険というのなら
部外者じゃないみたいな
顔してればいいんじゃないの？

なるほど
アイリーンの言うことは
的を得ていた
黒人街や中華街が
危険だという概念は
根っこの部分が
人種偏見につながっている
俺は自分を
少し恥じた……
考えてみれば俺自身 有色人種だから
差別される側にあるんだ
ハーレムでは決して部外者じゃない
カン カン
カン カン
OBERT ALLEN
コンコン
カチャ
やあ
アイリーン!!
どうした?
コーサクも
一緒とは
うれしいな
さ はいってくれ

アイリーンは吉報を持って
ボブを訪ねたのだった……
え！ ホントか
アイリーン！
俺の作品が
採用されたって!?
そうよボブ
我が社が選んだ
数十人のリストのなかから
あなたの
イラストレーションが
採用されたのよ！
まだ発表前だけどね
ウオ〜!!
ブラボー!!

イラストレーションって何の仕事？広告主《クライアント》はどこ？
キャットフードのパッケージよ
ロイヤルガーモント社のキャットフードは世界中で売れてるわ このパッケージデザインなら かなりの画料がとれるわね
ガチャ
よし！ 今日はお祝いだ!! とっておきの酒《シャンペン》を出そう
××年のドムペリニョンだ豪勢だろ
1年に1度だけ最高の喜びの時に飲むことにしてるんだ
この仕事が成功して大金がはいればボブもここを引越してダウンタウンにこれるわね
いや あいにくだなアイリーン いくらリッチになっても俺はこの街を離れる気はないさ

ハーレムは
俺が最も
愛する場所だ
俺はこうみえても
皮膚が黒いことに
誇りを持っている
安っぽい負けおしみに
聞こえるかもしれないが
本当にそうなんだ
ボム
そうね
あなたらしい
コメントだわ
シュボボー…
ヘーイ
黄金の液体だぜ!!
じゃ ボブの前途を祝って
乾杯ね!!

サンキュー アイリーン 君が俺を推薦してくれたんだな
あら 私は公平な眼であなたの才能を推したまでよ
とりあえず これから俺は どうすれば いいんだ
カルタ
そうね まだ 発表の段階じゃないけど Ｐ．Ｏ．Ｐ《ポイントオブパーチエイス》のラフも 作っておいた方が いいわね
悪いが ブロンクスに 野暮用があるんだ これで失礼するよ
どうやら 今日は俺が 味噌っ滓だ……

ブロンクスの一部は
ハーレム以上に
荒れはてていた……
なるほど
こりゃ
アパッチ砦だ
WE BUY
HATSUSHIBA
俺はハツシバのブロンクス
販売店で仕事をすませ
帰りのタクシーを
拾おうとした
ところがおよそ
30分待っても 一台の
タクシーも通らない……
まいった
なあ!

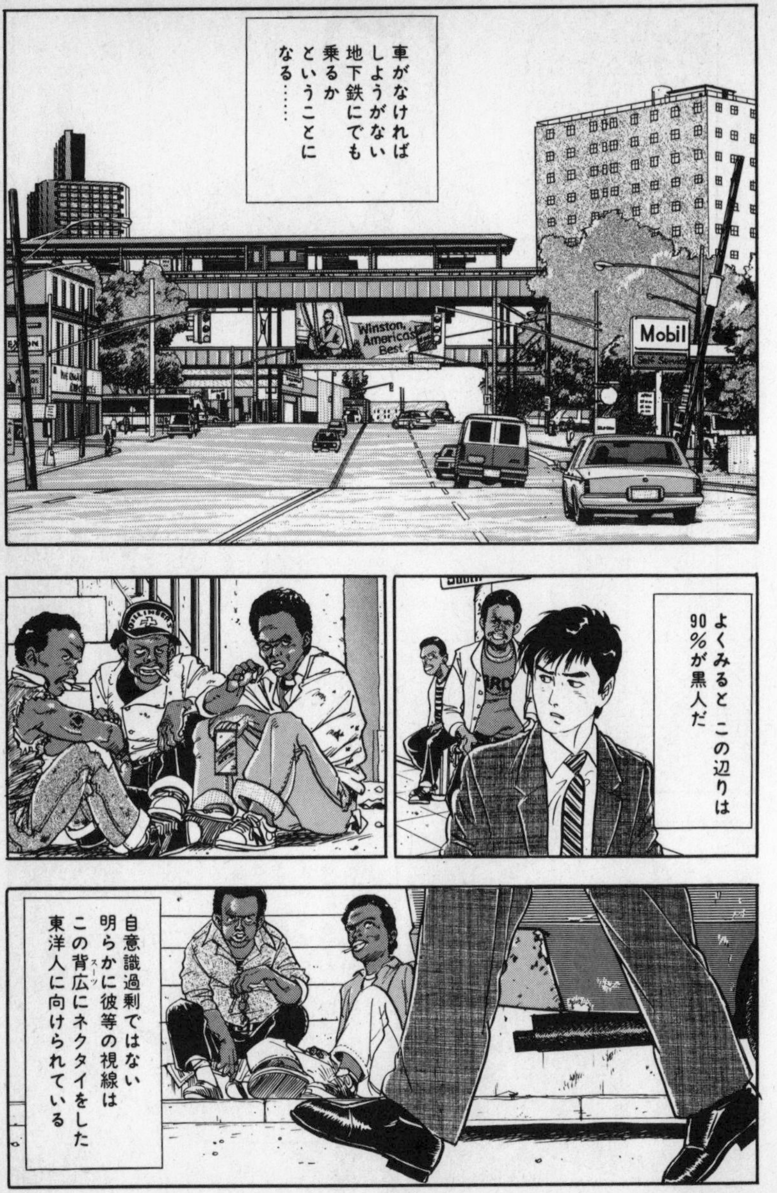
車がなければ
しようがない
地下鉄にでも
乗るか
ということに
なる……
Mobil
Winston, America's Best
よくみると この辺りは
90％が黒人だ
自意識過剰ではない
明らかに彼等の視線は
この背広《スーツ》にネクタイをした
東洋人に向けられている

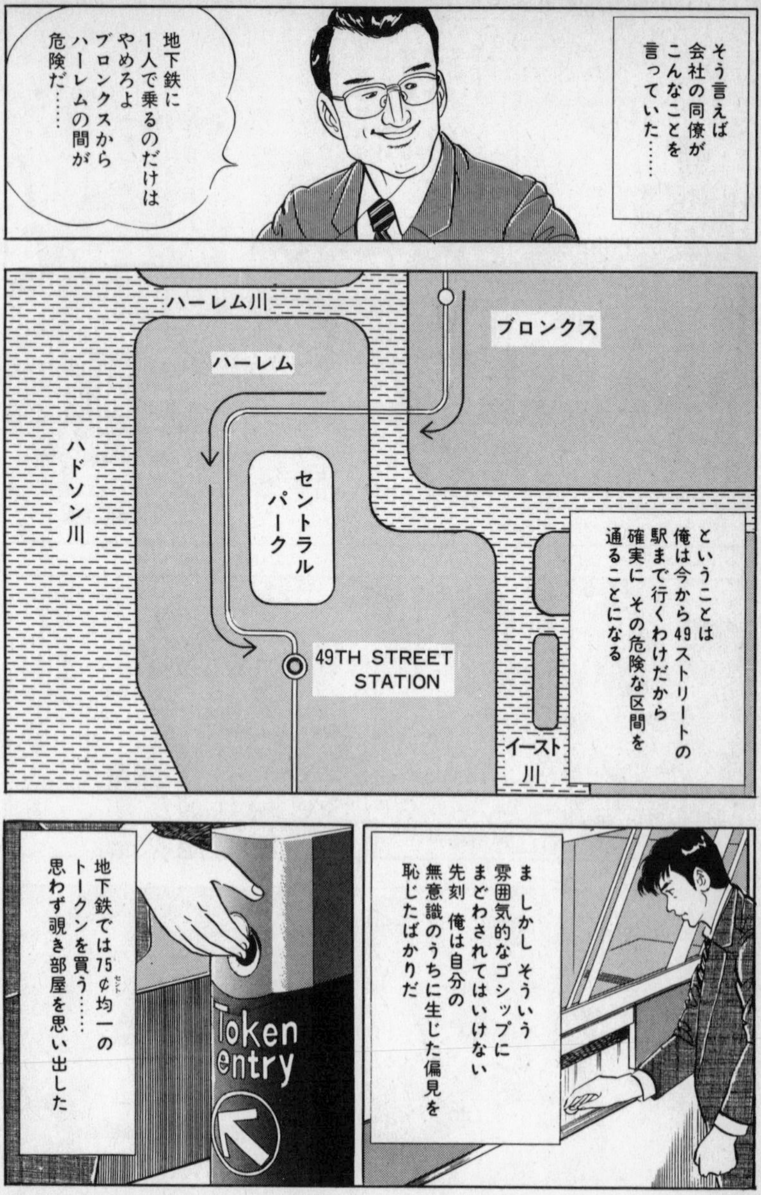

そう言えば会社の同僚がこんなことを言っていた……
地下鉄に1人で乗るのだけはやめろよブロンクスからハーレムの間が危険だ……
ハーレム川
ブロンクス
ハーレム
ハドソン川
セントラルパーク
49TH STREET STATION
イースト川
ということは俺は今から49ストリートの駅まで行くわけだから確実に その危険な区間を通ることになる
ま しかし そういう雰囲気的なゴシップにまどわされてはいけない先刻 俺は自分の無意識のうちに生じた偏見を恥じたばかりだ
地下鉄では75¢《セント》均一のトークンを買う……思わず覗き部屋を思い出した
Token entry

地下鉄とは言っても この辺りでは
まだ地上を走る
駅は人気《ひとけ》がない
昼日中《ひるひなか》というのに
ホームの端から端まで
1人の影も見えない
多少の強がりも手伝って
この地下鉄に来ては
みたものの
いささか不安に
なってきた……
BuSTARD
PEAC
BAD
空の箱が連結された
だけの ガラスキの
電車がはいってくる

人気《ひとけ》はないが
電車の中は満艦飾
スプレーによる落書きで
スキ間もないぐらいだ
しかし それにしても
よく空いている
向こうの車輌に
黒人の老婦が一人……
とにかくこういう時は
他人と目をあわせないように
眠ったふりをするに限る

いくつの駅を通過しただろうか……すでに電車は地下にもぐっていた……
目をうすく開けると目の前に男の足がみえる
ROCK

クッチャ
クッチャ
はっきり言って
情況は
非常にまずい
な…何か用か？
俺に何か
興味でもあるのか？
THAT'S RIGHT
おまえのふくらんだ
内ポケットの
中身に少なからず
興味があるんだ
シャカ
Oh！Yea Sure
こういう時はさからっては
命が危ない 俺は素直に
金を渡すつもりだったが！
その時だった
JUST A
MINUTE！

脳天をスイカのように
割られたくなかったら
次の駅で速やかに
降りることだ
わ わかったよ!!
兄弟! そうする!
プシューーッ

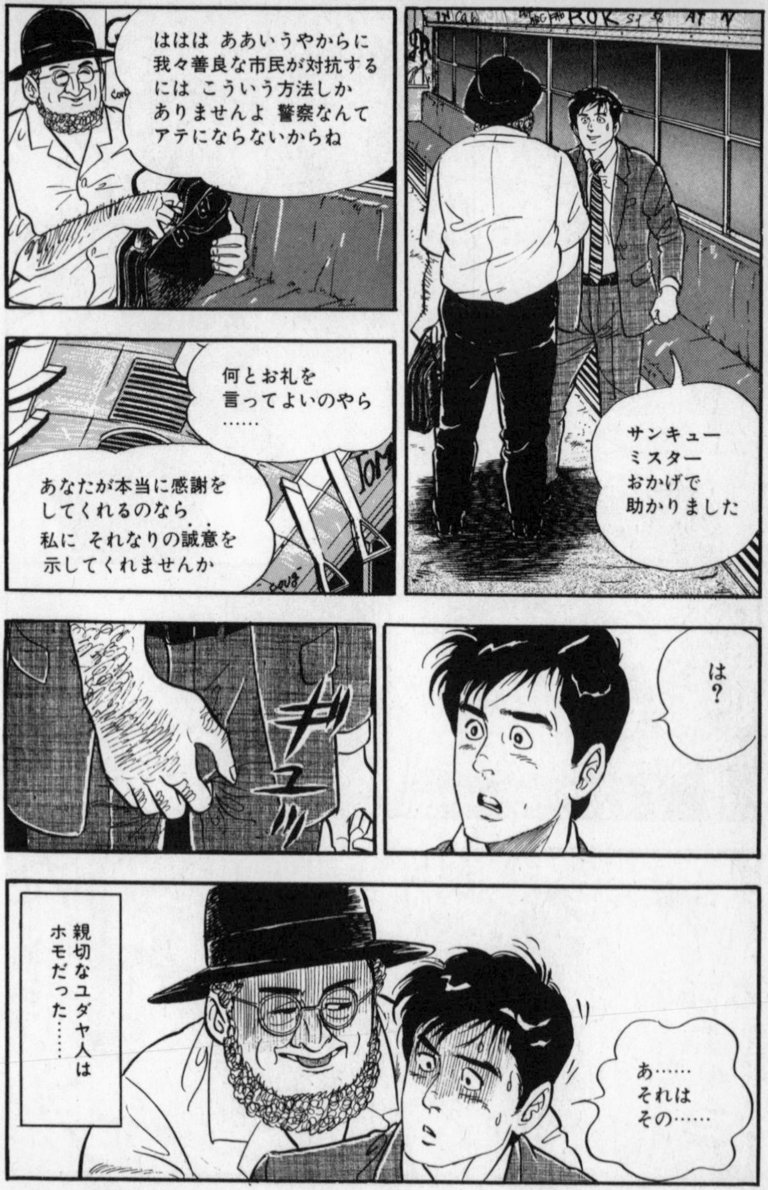
サンキュー
ミスター
おかげで
助かりました
ははは　ああいうやからに
我々善良な市民が対抗する
には　こういう方法しか
ありませんよ　警察なんて
アテにならないからね
何とお礼を
言ってよいのやら
……
あなたが本当に感謝を
してくれるのなら
私に　それなりの誠意を
示してくれませんか
は？
あ……
それは
その……
親切なユダヤ人は
ホモだった……

一難去ってまた一難
友人の助言は聞くものだ
俺は ほうほうの態《てい》で地下鉄を出た
& Brooklyn
49 ST
安易な
非差別論で
身をまとい 俺は
少々危険なところに
はいりすぎた
Subway
甘かった
このエスニック社会に
観念的な非差別論をふりかざすと
かえって手痛い目にあう……
Winston America's Best
Exit only
常に危険と背中合わせに
生活する緊張感こそ
ニューヨークの生活そのものだ

コンコン
ガチャッ
はい
コーサク……
今晩ここに
泊ってもいい？
ガチャ
ああもちろんいいさ
……だけど一体
どうしたんだい
やぶからぼうに…？
抱いて！
コーサク
アイリーンは
泣いていた

どうして
泣いている？
ボブの
イラストレーションが
不採用《ボツ》になったわ
え？ ボツ？
何でだ？
ボブが黒人だと
わかったからよ……
ロイヤルガーモント社の
社長が ガリガリの
南部出身者だったの
……!!
ねえ コーサク
悔しいと
思わない？
今だに そんな
バカがいるなんて
ボブには
知らせたのか？
ううん まだ……
ボブ今頃一生懸命
P.O.P.のデザインやってると
思うの……
私の口からはとても
言えないわ

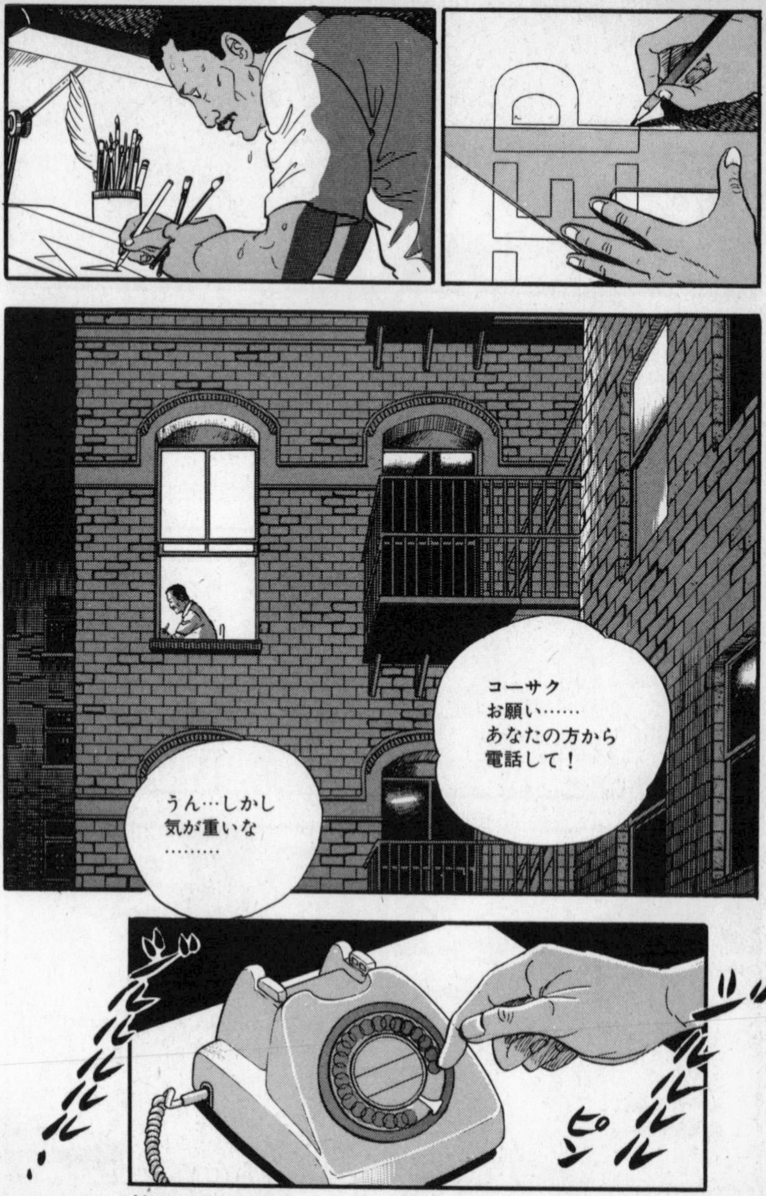
コーサク
お願い……
あなたの方から
電話して！
うん…しかし
気が重いな
………
ピン

第14話／おわり

STEP 15

オータム《Autumn》 イン《in》 ニューヨーク《New York》

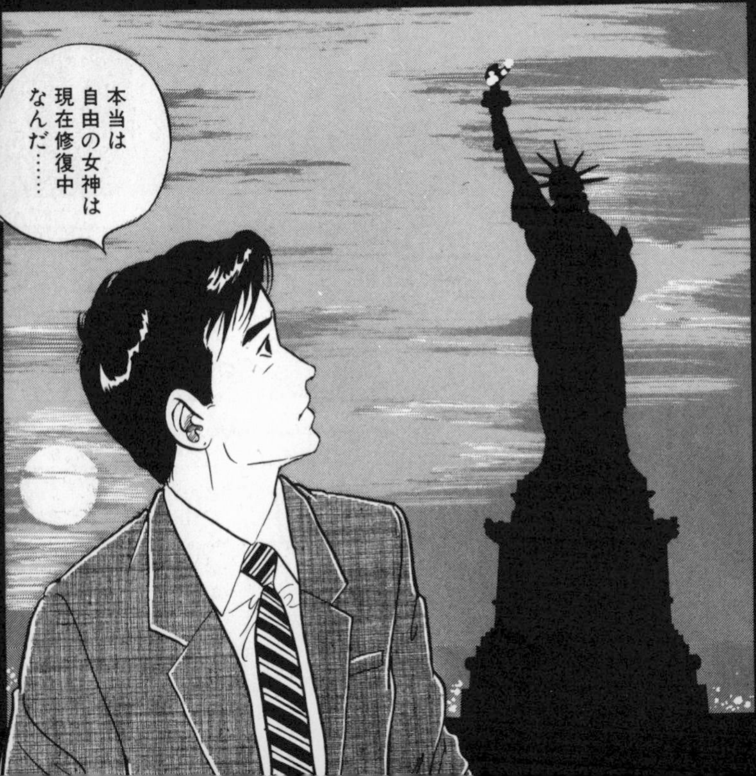

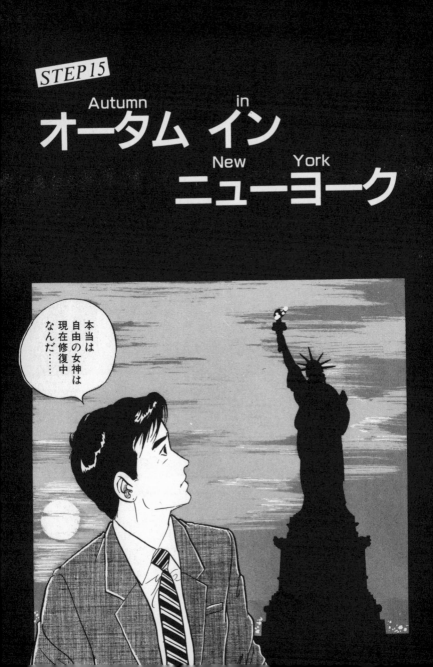

ボブ……聞こえてるか？……ボブ!!
……ああ よく聞こえてるよ
日本人の俺としては全く不可解なことだが……つまりおまえが黒人だという理由で おまえの作品が不採用《ボツ》になったんだ
わかっている平気だよ……そんなことは子供の頃からしょっちゅうあったことだ大したことじゃない

このことで
アイリーンを
責めるなよ
彼女だって
このことでずいぶん
悩んでいるんだ
彼女には
気にするなって
言っておいてくれ
俺は慣れっこだ
ハハハハ
あ それから
作りかけの作品は
ペンディングしておいて
くれよ
ロイヤルガーモント社では
使えなくなったけど
他社に売りこんでみるって
彼女がいっていたから……
………
チン
ボブ 怒ってた？
………

いや……それに
そんなに落ちこんでも
いなかったみたいだ…
彼は笑っていた
彼等は
そういうポーズの
とり方も慣れっこ
なのよ……
落ちこんでいない
はずがないわ
ボブの作品が優れて
いることには変わりないさ
必ずどこかが
採用してくれる……
南部出身の社長が
ロイヤルガーモント社
だけとは限らないわ
……
この意識の進んだ
ニューヨークでも
見えないところで
人種偏見は厳然と
存在しているのよ

WOMEN

朝だわ……
会社に
行かなきゃ…
結局 徹夜
しちまったな……
つきあわせて
悪かったわね
コーサク…
下まで送って
いくよ……
ありがとう

HU
HU
HA
HA
HU
HA
…………
ここに住んでいたの
知らなかった…
どうした
アイリーン？
知り合いなのか？
あいつが
ロイヤルガーモント社の
社長よ！

偶然の一致というには出来すぎた話だがロイヤルガーモント社の社長は なんと同じアパートの住人だった
俺とアイリーンはこう見えてもアイデアで飯を食っている広告マンだ
この社長の行動パターンを調べた結果 朝6～7時の間にセントラルパークをジョギングして……
2日に1度くらい 近くの朝食レストランで食事をする
COFFEE SHOP

たっぷりのヨーグルトと
いちじく1個
ライ麦一〇〇パーセントの
スライスパン2枚に
ブリーチーズ¼
そしてコーヒー
しめて3ドル25セント
この組合わせは
毎回変わることがない
そして窓際の
カポックの植木の横にすわる
……これが彼のルーティンだ
ピッ

いやあ しかし まいったなあ ロバート・アレンのイラストレーションが使えないなんて……
え？本当か そりゃまずいぞ 是非使いたいというところがあるんだが……
どういうわけだ？
それが どうやら 彼がロイヤルガーモント社のキャラクターデザインを引き受けるらしいんだよ
ロイヤルガーモント社？ あのキャッツフードの最大手メーカーか？

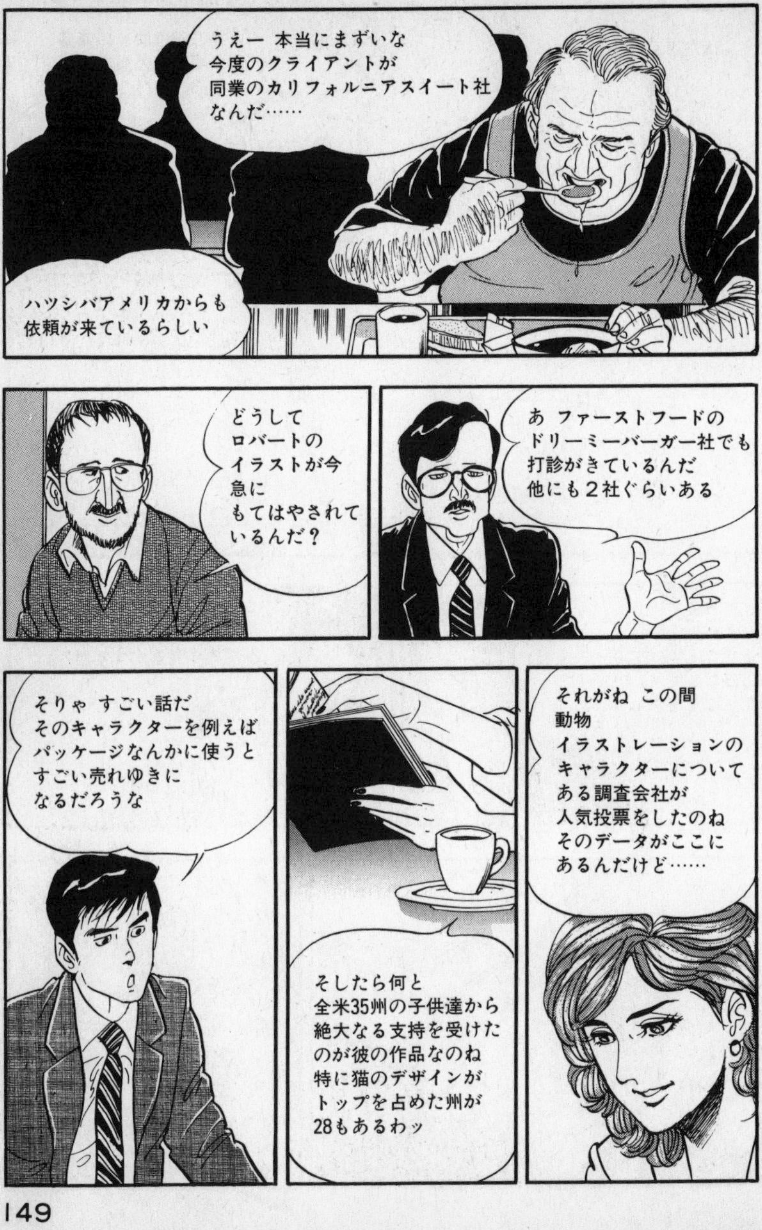
うえー 本当にまずいな 今度のクライアントが 同業のカリフォルニアスイート社 なんだ……
ハツシバアメリカからも 依頼が来ているらしい
あ ファーストフードの ドリーミーバーガー社でも 打診がきているんだ 他にも2社ぐらいある
どうして ロバートの イラストが今 急に もてはやされて いるんだ？
それがね この間 動物 イラストレーションの キャラクターについて ある調査会社が 人気投票をしたのね そのデータがここに あるんだけど……
そしたら何と 全米35州の子供達から 絶大なる支持を受けた のが彼の作品なのね 特に猫のデザインが トップを占めた州が 28もあるわッ
そりゃ すごい話だ そのキャラクターを例えば パッケージなんかに使うと すごい売れゆきに なるだろうな

じゃあキャッツフードの
キャラクターなんかに
とられるより
ドリーミーバーガー社に
プッシュした方がいい
特に子供向けの商品
の場合は効果絶大だ
と思う……
ところでロバート・アレンは
ロイヤルガーモント社と
契約をしたのか
いや まだらしいけど
早く手を打てば こっちに
引き抜けるかも知れないわ
とりあえず
ライバル社の
カリフォルニアスイート社に
10万ドルで
売りこんでみるか
よし 彼を獲得しよう!!
金の卵が転がっているのを
みすみす見逃がす手はない
S…SORRY！
ガシャーン

10万ドル？
ドリーミーバーガーなら
グローバルな企業だから
20万ドルは出すわよ
ガタッ
よし じゃあ
そういうことで
みんなそれぞれの
企業に
あたってみてくれ!!
カタガタ
了解
ギッ

………
ガタタ
……
Phone
×××××
××××!!
×××××！
coffee Shop

うまく いったかな…
どうやら そのようね
ありがとう！ みんな あとでビールおごるわよ
ミートパイも つけてくれよ

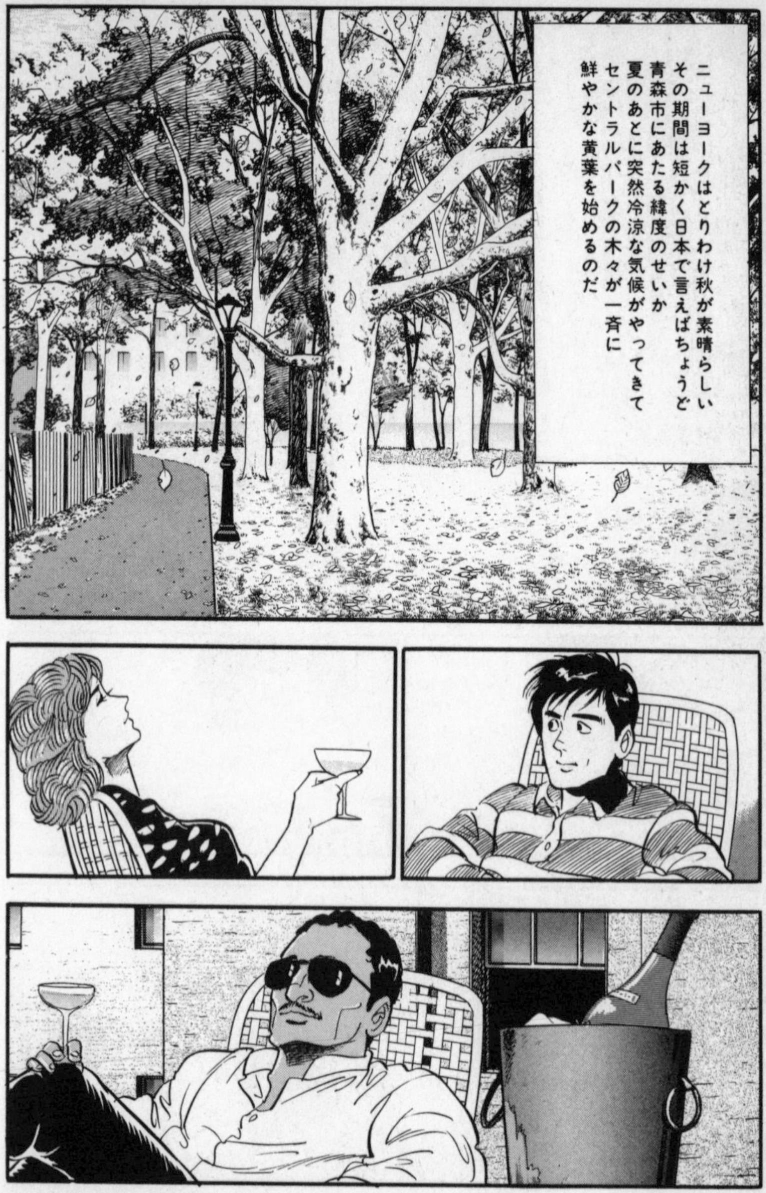
ニューヨークはとりわけ秋が素晴らしい
その期間は短かく日本で言えばちょうど
青森市にあたる緯度のせいか
夏のあとに突然冷涼な気候がやってきて
セントラルパークの木々が一斉に
鮮やかな黄葉を始めるのだ

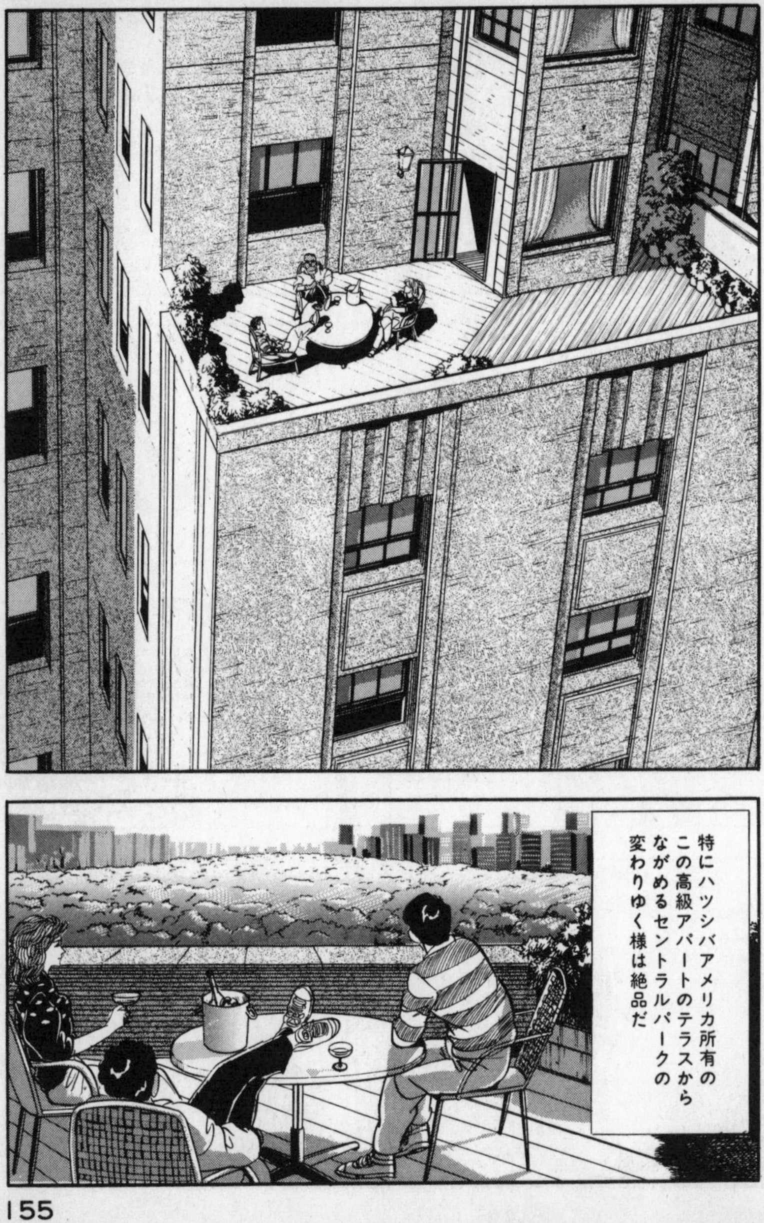
特にハツシバアメリカ所有の
この高級アパートのテラスから
ながめるセントラルパークの
変わりゆく様は絶品だ

いい気持ちだぜコーサク この陽だまりが何とも 心地いい
ここは最高の ロケーションだ
ああ…何でも このアパートは120万ドルも するらしい…… 超㊎のたまり場なんだ
だからここに ロイヤルガーモント社の社長が 住んでいるのよ 南部で猫の餌をつくっていた男が アッパーイーストサイドに住めるなんて 絵に描いたような出世物語じゃない
RRRRRRR
Hello This is KOSAKU SHIMA SPEAKING
ボブ おまえにだ
Thanks！
Hi
コーサク 見て ボブの作品が あちこちに 見えるわ

CAT FOOD
ROYAL GARMOUNT
あそこにも……
FOOD
ROYAL GARMOUNT
ここにも
ROYAL GARMOUNT
うわ！この看板は巨大だな……

コーサク 悪いが
ちょっと打ち合わせに
行かなければ
ならなくなった
ここで失礼するよ
ああ！
じゃな！
See You
See You
よかったわね
ボブすっかり売れっ子に
なっちゃって……
しかしロイヤルガーモントの
社長が ああも簡単に
スティングにひっかかるとは
思わなかったな……
しかもキャラクター
買い取りで30万ドル……
悪くないわね

でも新しいパッケージのおかげで売り上げが20%も伸びたらしい…あのオジさんもいい買物をした
これで彼の人種偏見がなくなるとか………そんなことは……
うん 絶対にない
ねえ コーサク……
ん？
あたしたち いつまでこういう関係を続けられるのかしら
日本に帰る日がくるまでさ…

日本には
いつ帰るの？
さあ それは
会社が
決めることだ
あいつらは……!?

グルだったのか!
どうしたの？
コーサク
バイ

アーハッハッハッ
ハッハッハッ
どうしたの？
ねえ
どうしたの？
Theatre
Oh! Calcutta!
ENTRANCE 47st
BOX OFFICE PL 77164
アーハッハッハッ
ハッハッハッハッ
こりゃおかしい!!
PARK
FOR THEATR
ずるいわよ
1人で笑って！
教えてよ！
PARK
QUICK
OPEN TO PUBLIC
AAA
アイリーン
君とは別れたくない
別れたくないけど
別れる日が
近づいているのは
確かだ

第15話／おわり

STEP 16

センチメンタル《Sentimental》ジャーニー《Journey》

新しいポスターの
プレゼンテーションだ
意見を聞かせてくれ
色はどうなっているんだ？
口紅の色だけ
アカの特色……
蛍光色を使おうと
思っている
しかし全体は
白黒のモノトーン
だろ……
それに口紅だけ
人着（人工着色）
するわけか……
何かさびしくないか
この写真……
そうだよな

ただ一番 気になるのは このポスターと ハツシバアメリカの CMとが どう 結びつくんだ？
あら そこが いいんじゃないの ディディエ・ガイアールは パリの最先端を行く CM写真家よ！
いいんだよ ハツシバの商品が この写真の中に なくったって…… 企業全体のアピールさ
それだけ
イメージだよ イメージ！
日本のパルコの CF知ってる？ すごいわよ！ あとで見せるけど 果たしてあなた方に 理解出来るかしら
CMにはもっと アートが必要よ アメリカのCMなんて 商品の連呼型か 面白《ユーモア》CMの どっちかじゃない？
少なくともCM感覚では ニューヨークは東京より はるかに遅れているわ

………
シーン
………
あなた達それでも
うちのクリエイターなの？
島さん
東京から
電話がはいってます
あ！わかった
すぐ行く！
カッ
カッ
カッ
ところでさアイリーン……
ニューヨークが東京より
劣ってるというのは
言いすぎじゃないか？

初芝電産東京本社
常務！おめでとうございます
営業本部長 常務取締役 宇佐美欣三
ん？何か……
本社販売助成部 部長 福田敬三
聞きましたよ 12月の定例取締役会で専務に昇進されるそうで！
ああれかハハハ 昨年君が水野を追い出してくれたおかげだよ 感謝してる
常務！それではすぐに赤坂の「かつ乃」を押さえておきますので盛大な祝宴の用意を？

まあ待てよ わしはパアッと やるのは好かん 出来たら内輪で 静かにやりたいな
2～3人 ぐらいのな…
じゃ… 島君を 呼びもどしま しょうか？
そうだな 水野追い出しの きっかけは彼が作ったんだ 今ニューヨークか？
はい もうそろそろ 1年になります ちょうどいい時期だと 思いますが……
ところで ハッシバアメリカの 社長は 大泉裕介だったな
ええ 今の 吉原会長の 娘婿にあたる イヤミな野郎でっせ
ゆくゆくは 宇佐美常務と 社長の座を争う ことになると 言われてますな

ふむ……なるほど
よし！急きょ島君を帰国させろ色々聞きたいことがある
ダーン
カッカッ
はい島です
チン
あ 島君か！本社の福田や！
どや！そろそろ帰ってこんか!?
!!

肌寒いハロウインを迎えた
ニューヨークの街は
冬の到来に備えて
何となくあわただしい……
CHURCH ST
ZUM ZUM
ZUM ZUM
DON'T WALK
そして俺の心も
またあわただしい
あと半月で
ここを離れることに
なったからだ
HALLOWEEN
SALE
ついにその日が来た
という感じだ
HALLOWEEN

シマさん！
日本から手紙がきてますよ
あ どうも
嬉しい手紙だよ
たぶんあんたの
奥様《ワイフ》からだ
GREAT！
よだれが出ちまう
妻からの
初めての手紙だった

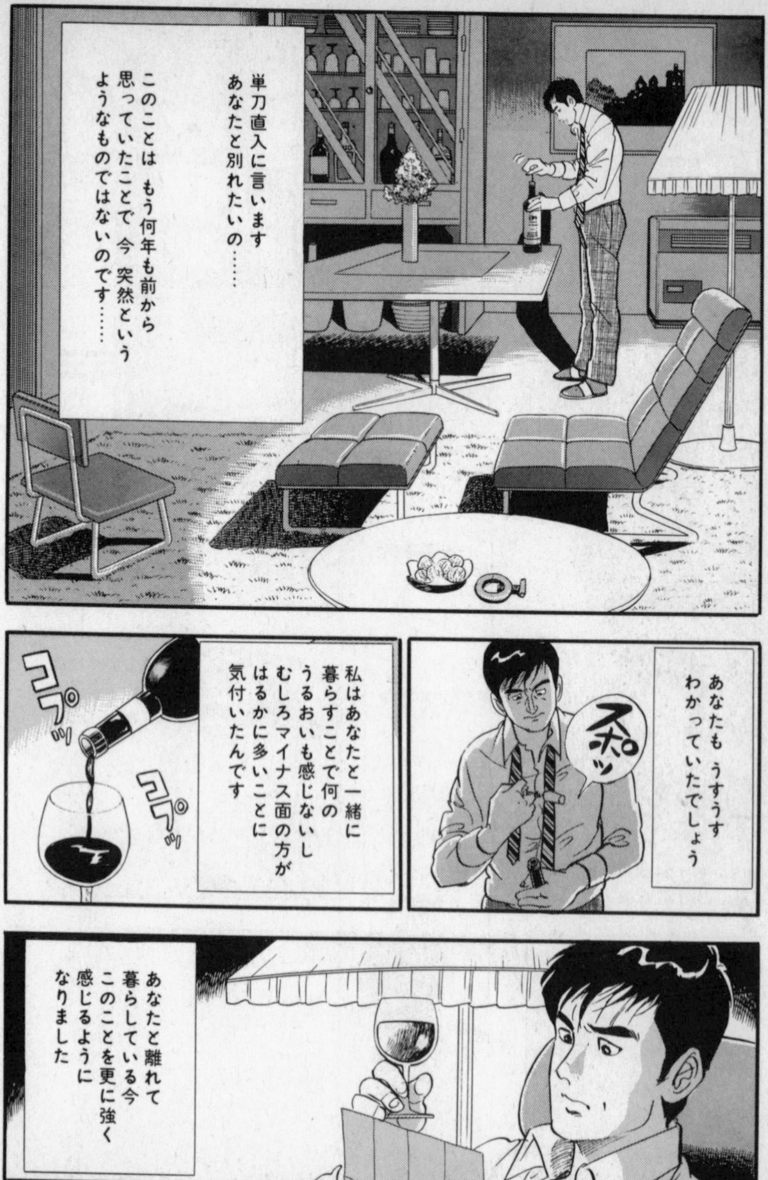
単刀直入に言います
あなたと別れたいの……
このことは もう何年も前から
思っていたことで 今 突然という
ようなものではないのです……
あなたも うすうす
わかっていたでしょう
スポッ
私はあなたと一緒に
暮らすことで何の
うるおいも感じないし
むしろマイナス面の方が
はるかに多いことに
気付いたんです
コプッ
コプッ
あなたと離れて
暮らしている今
このことを更に強く
感じるように
なりました

今が あなたに私の
意思を伝えるのに
いちばんいい時機《チャンス》だと
思うの……
顔を合わせている時は
どうしても
切りだせなかったから……
あなたに他の女がいるとかいないとか
そんなことは知らないし また
別に知りたくもないわ……
ただ あなたは課長になる頃から
人が変わって来た……
あなたの頭の中は仕事のことで
いつもいっぱいだったでしょう
ブル
ブル
女にとって男は
社会的にいかに認められて
いるかとか
いかに稼ぎがいいかとか
そういう価値よりも
家族が築きあげる
小さなテリトリーで
どれだけ いいお父さんで
あるかということの方が
ずっと大切なの……

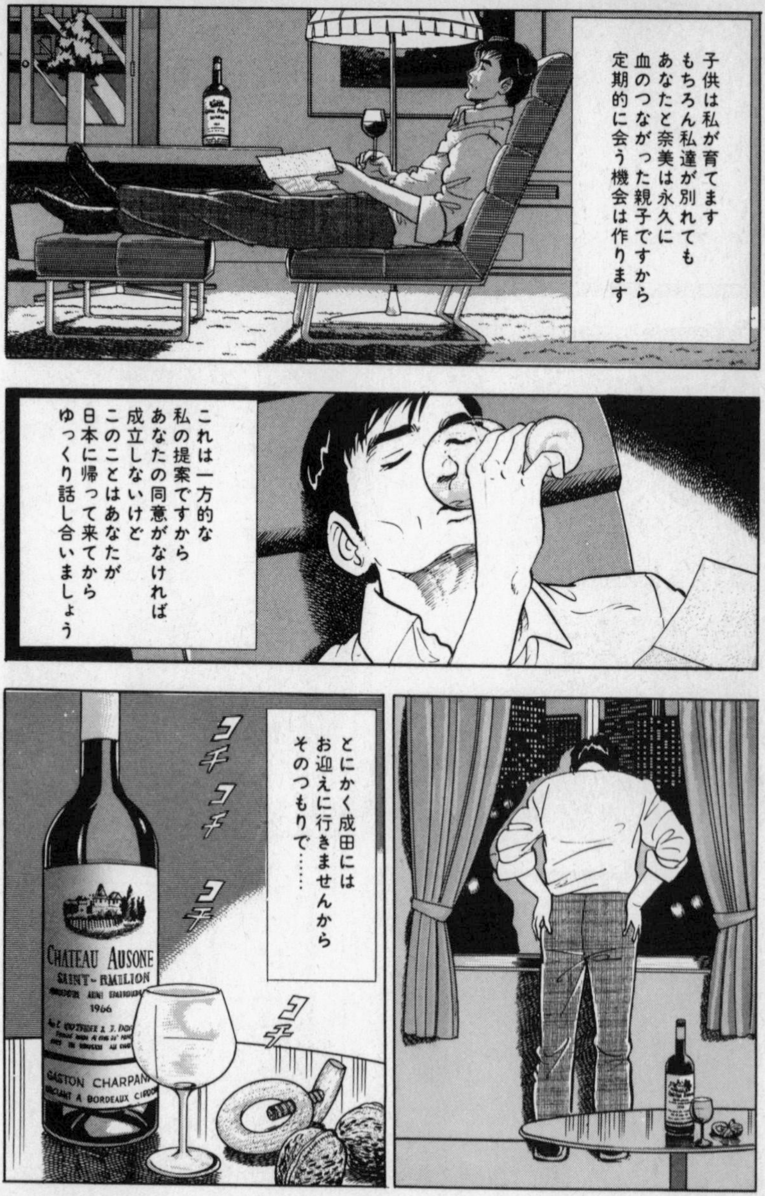
子供は私が育てます
もちろん私達が別れても
あなたと奈美は永久に
血のつながった親子ですから
定期的に会う機会は作ります
これは一方的な
私の提案ですから
あなたの同意がなければ
成立しないけど
このことはあなたが
日本に帰って来てから
ゆっくり話し合いましょう
とにかく成田には
お迎えに行きませんから
そのつもりで……
コチ
コチ
コチ
コチ
CHATEAU AUSONE
1966

ナイアガラに行かないか？
ナイアガラ？どうしたのよコーサク突然おのぼりさんみたいなこと言って…
いやね 今ワインを飲みながらナイアガラのパンフを見ていたら急に行きたくなったんだせっかくアメリカに来たんだから
1度ぐらい見ておきたいと思ってね…
NIAGARA FALLS

ちょうど今
ボブが来てるの
かわるわ
コーサク
ナイアガラ
だって？
そりゃ
いい趣味だ!!
正直言って俺も
行ったことがないんで
是非そのトリップに
参加いたしたいね
あら私も
子供の頃
行ったきりで
殆んど記憶に
ないわよ
ガチャ
じゃ俺の新しい車で
行こう!!
SAABを買ったんだ
半日もありゃ
行けるだろう
ガチャ
いつ行くんだ
都合のいい日を
そっちで
決めてくれ…
シャカ
シャカ
シャカ

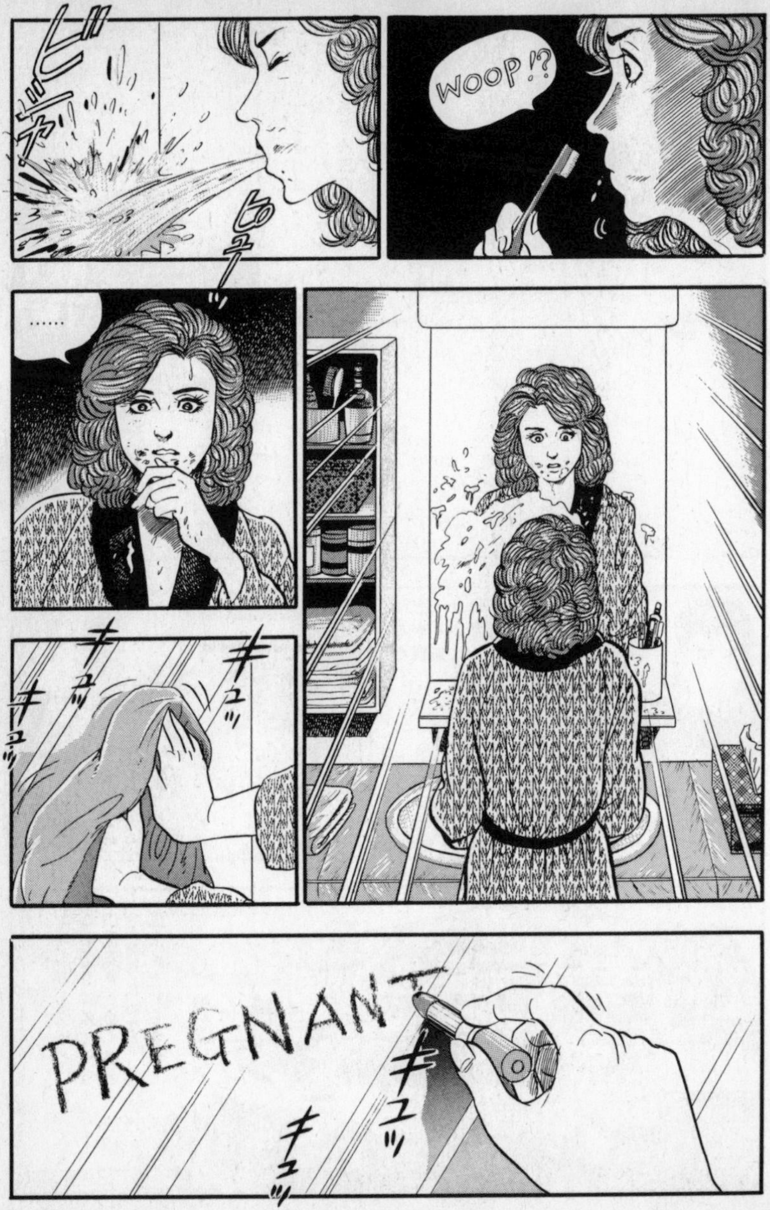
WOOP!?
ビジャッ
ヒューッ
……
キュッ
キュッ
キュッ
PREGNANT
キュッ
キュッ

ナイアガラ瀑布はニューヨーク州バッファローの郊外にあり約五〇〇キロのロングドライブだ
イヤッホーッ いい気分ね！
こんなことは何年ぶりかな 久々に新鮮な空気を吸いこんだ感じだぜ……
ニューヨーク州とは言ってもこの辺りは果てしなく田園風景が続く農村で今あらためてアメリカの広大さを知らされた……

REGULAR 1.08 9
NO-LEAD 1.14 9
REGULAR 108 9
UNLEADED 114 9
SELF SERVICE
NIAGARA FALLS
INFORMATION CENTER
ナイアガラに着く頃は
もう陽も落ちて
家々の窓にオレンジ色の灯が
つきはじめていた……
田園の中に点在している
どの家も窓にベタベタと
ハロウインのお化けのシールが
貼ってあり 中から子供達の
笑い声が聞こえたりして
早くも盛りあがっている
といった風情だ
こういうのが家庭の幸せ
というのだろうか……
家の中からもれる光が
とても暖かい感じがする
わけもなく
ジーンときてしまった

ナイアガラの滝は
アメリカ滝とカナダ滝
とがあって 規模は
圧倒的にカナダ滝の
方がでかい
水量の90%は
カナダ側に流れるのだ
向う側にみえるのが
カナダ滝である
従って殆んどの観光客は
パスポートを持参して
カナダ滝を見んがために
一旦アメリカを出国する
そのための小さな
検問所がある
とにかくその景観《パノラマ》は
圧巻だ!!
WAO

こりゃすごいや！
まるでウソみたいだ!!
最初の印象は
夜でサーチライトに照らされて
いたせいか 実物を見たような
気がしないのだ……
何か巨大なスクリーンに写された
映画のような気がした……

しかし 会話が聞きとれないぐらいの轟音と
立ちのぼる水しぶきで 体も地面も
雨にうたれたようにビチャビチャになり
この冷たい感触が実在のものであるという
認識を与えてくれるのだ
イヤッホーーッ
あのさ
日本の青春映画
なんかによくある
くさいシーン
なんだけど
ちょっと
やってみないか？
いいわよ
何するの
つまり感動的な
大自然の景色に
出会った時に
そこにむかって思わず
大声で叫ぶってやつ
………
MINOLTA
たとえば夕陽とか
青い山脈を前にして
面と向って相手に伝えられない
自分の意思を
大声で叫ぶのさ

俺は
アイリーンが
大好きだーッ
……てなぐあいにね！
よしわかった！じゃ俺の番だ
せーの……
俺だってアイリーンをコーサクの10倍愛しているぞーッ

パチ
パチ
パチ
イエイイ！イエイイ！イエイイ！
よし じゃ
俺にもうひとつ
やらせてくれ
俺は来週
東京に帰ること
になったーッ
そう……
いつかは
くると思って
いたけど……
じゃ私の番ね！
ビックリするわよ
2人とも……

私、子供が出来たわよーッ
！
イ゛イ゛イ゛イ゛
行くぞ！
パチ
了解《ラジャー》！

第16話／おわり

STEP 17

ザ《The》 ムーン《Moon》 ワズ《Was》 イエロー《Yellow》

RADIO CITY
アイリーンか？
俺だ
コーサクだ！
Phone
今日
ニューヨーク最後の
日なんだ
出来ればボブと
3人で食事でも
したいんだけど
……….
もちろんよ！
今日は会社を
オフにして
あなたとの時間を
作るわ！
そうか じゃ
あとで！

今日でこの街とも
お別れかと思うと
なんとなく
寂しくなってくる……
VIDEO CASSETTE & DISC CENTER
VIDEO CASSETTE CENTER
VIDEO SHACK
VIDEO CASSETTES
と同時に
東京に戻ってからの
忙しい日々を考えると
いささか憂うつにもなる
やらなければいけない仕事が
山積しているし
MADISON
ONE WAY
NO STANDING
M1
M2
何と言っても
女房から申し出のあった
離婚についての話し合いも
しなければならない……
HATSU
SHIBA

社長！
短い間でしたが
いろいろお世話に
なりました
ま 東京に
戻ったら皆に
よろしく伝えて
おいてくれ
はい！
じゃ
失礼致します
あ 島君！
それとな
ちょっとたのみが
あるんだ
は？
まちょっと
こっちへ
こいよ
はい

典子って女……覚えているだろう
ノリコ……ですか？
ほら五番街の日本料理店「淀兆」で私と待ち合わせていた女がいただろう
！
私 銀座のクラブで働いているんです！「クレオパトラ」って店よかったらきて下さいね！
ああ……あの女か……
まわかっているだろうがアレは私が5年前から・・・めんどうをみている・・・女なんだ
はい承知致しております

そこでだ！君に東京での監視役を頼みたい
え？
か…監視役ですか？
やばいな こりゃ
そうだ 出来れば週1回ぐらい店に顔を出して典子が他の男とヘンな関係になっていないかどうか報告して欲しいんだ！
し 週1回だなんて そんな高級クラブに私の給料では出入《ではい》り出来ませんよ！
アハハハ そんな心配は無用だ「クレオパトラ」へは私の方から電話を入れておく
君はあの店ではフリーパスにしておくさ
え……ええ でも……

たのむよ島君！
私は約1年間
君を見てきたが
君なら全面的に
信用出来る男と
みたんだ！
どうだ私の腹心に
ならんか
私につけば将来は
まず安心だぞ
私は近々
東京に戻る……
その時は筆頭専務だ
勿論 私が次の社長の
座にすわる最短コースに
いる人間だということは
君も知っているだろう
引きうけて
くれるな！
はは
い！
言っちまった！
じゃ
頼んだぞ

カッ
カッ
そう言えば本社の福田部長が電話で言ってたな…
カッ
カッ
社長の弱味はないかって……
島君！大泉社長とうちの宇佐美《ボス》が次期社長の座を争うことになるというのは承知しておるな
ええな！大泉の野郎の弱点をしっかり摑んでこい!!奴を叩きおとすためには少しでもマイナスの資料を集めとかなならん!!
カッ
冗談じゃない俺はどこの派閥にも属さないぞ！そんなきわどい勝負に出るにはまだ人生が長すぎる
カッ
カッ

コーサク！
アイリーン！
ボブはどうした？こないのか？
うん ちょっと遅くなるけどくるって！
TIME&LIFE
こうしてアイリーンと2人きりで歩くのもこれで最後なんだ……ボブの気遣いに感謝した

短かい滞在
だったけど
ニューヨークの
印象は
どうでしたか？
あれ？
何だい急に
インタビュアー
みたいな
口調になって
まじめに
聞いているのよ
答えて
McDonald's
そうだな……
君との楽しい
セックスかな
コーサク！
ふざけないで

いや ふざけている つもりはない 本当にそう思う…… この街では 男と女とのつながり というのが非常に 大切なことだった ような気がする
ONE
DON'T WALK
Maggie's Place
YODO
TELEPHONE
どういうこと？
このエスニック社会で 人種の違いや考え方の 違いを うまく調和させて いくには個人個人の 考え方をよほどしっかり させておかなければ ならないと思うんだ
MADISON AV
お互いに他人は他人 自分は自分という立場を 認めあうことだと思う
………
その反動として 1人でいるという孤独感は 強烈なものがあったね
DON'T WALK
孤独感は同時に 緊張感であり それが 男女の性的な結びつきを より高めたような気がする

だから２人で逢っている時間が心を解放できる唯一の瞬間だったというわけね
楽しくてそして淋しいめくるめく時間だった
奥さんとはどうなったの？
たぶん離婚すると思う日本に帰ったら話し合うことになっている
カッ
カッ
カッ
今日は最後の晩さんだから豪華にフランス料理よ
いいね

俺達が行ったフランス料理の店には
ボブが待っていて3人は大いに食べて
かつ楽しく語らいあった……
ボブは本当に
いいやつだった……
この男と知りあえて
よかったと思う
考えてみれば
俺は少しの間ボブと
アイリーンの間に
わりこんではいった
突然の闖《ちん》入者
だったんだ……
それをボブは嫌な顔
ひとつせずに受け入れてくれた
エスニック社会ならではの
不思議なトライアングルだ…

でも このトライアングルを
これ以上続けるわけには
いかない……
アイリーンのおなかには
3ヵ月の子供がいるのだ
そしてその父親は
今の段階では
ボブか俺かは
分からない……
しかし あと半年もすれば
答えは確実に出る
生まれてくる子供の
肌の色が極めて
明快な解答なんだ
俺はこのことについて
何か話さなければ
ならないと思いながら
何を話せばいいのか
わからなかった
……
そして時間だけが
経っていった……

そうだ！
ねえコーサク
ヘリコプターに
乗らない？
ヘリコプター？
そりゃいい考えだ！
ニューヨークの記念に
夜景を空からながめるのも
いいもんだぞ！
行ってみようじゃないか
観光用ヘリコプターの発着場《ヘリポート》は
イースト川に面した
ひどくうす汚れた場所にある
ISLAND
HELICOPTER
CORPORATION
Sight - See
Helicopter

DANGER
この観光旅行《サイトシーフライト》は
マンハッタン上空を
ぐるっと1周するコースで
1人45ドルだ……
2人で
行ってこい
俺はここで
待っているよ
え？ どうしてだ
一緒に乗ろうぜ
いや 俺は
高所恐怖症だったんだ
今思い出した……

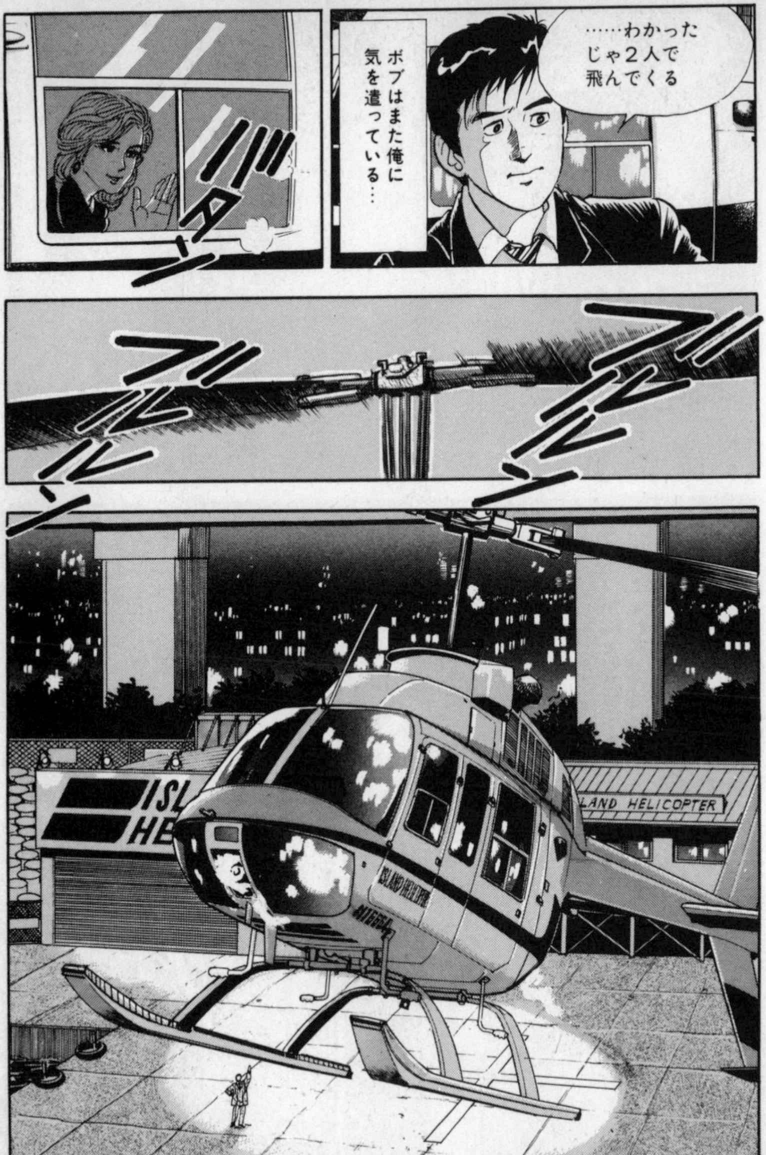
……わかった じゃ２人で 飛んでくる
ボブはまた俺に 気を遣っている…
バタン
ブルルン
ブルルン
LAND HELICOPTER

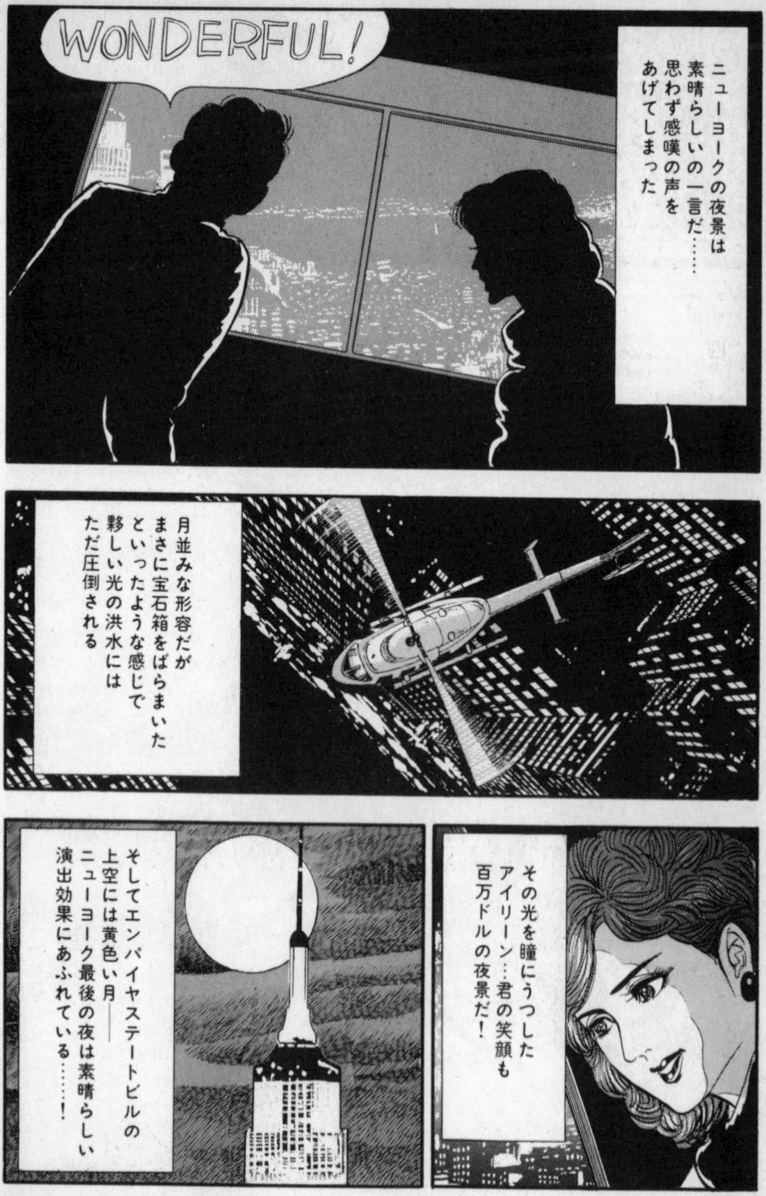
ニューヨークの夜景は
素晴らしいの一言だ……
思わず感嘆の声を
あげてしまった
WONDERFUL!
月並みな形容だが
まさに宝石箱をばらまいた
といったような感じで
夥しい光の洪水には
ただ圧倒される
その光を瞳にうつした
アイリーン…君の笑顔も
百万ドルの夜景だ!
そしてエンパイヤステートビルの
上空には黄色い月——
ニューヨーク最後の夜は素晴らしい
演出効果にあふれている……!

アイリーン
ひとつだけ
質問させてくれ
何？
俺はこのまま
東京に帰る
子供は生む
つもりなのか？
勿論よ　せっかく
神様が授けて
くれたんだもの…
生まれてきた子供が
あの月のように
黄色い色だったら
どうするんだ
ボブと２人で
育てるわ
もちろんボブと私の
子供としてね……

そうか……
……
おめでとう！
幸せになれよ！
コーサク

俺は力一杯アイリーンを
抱きしめた
このまま地上に降りるまで
キスを続けよう
長くて熱い
そしてちょっぴり
塩からいキスを……
グッドバイ　ボブ
グッドバイ
アイリーン
そして
グッドバイ
ニューヨーク

ISLAND HELICOPTER
N16664
グッドバイ

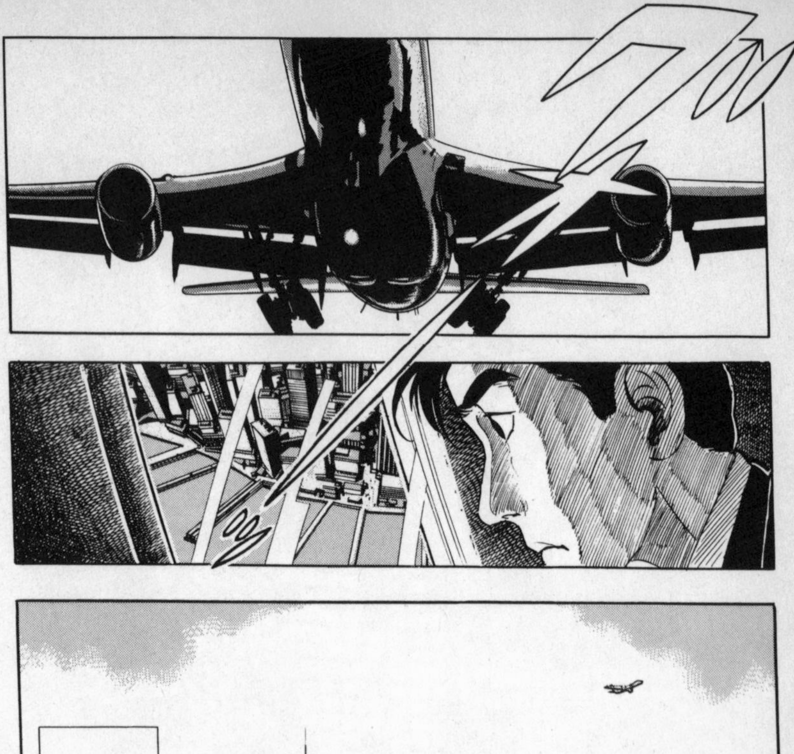
翌日俺は
ニューヨークを発った

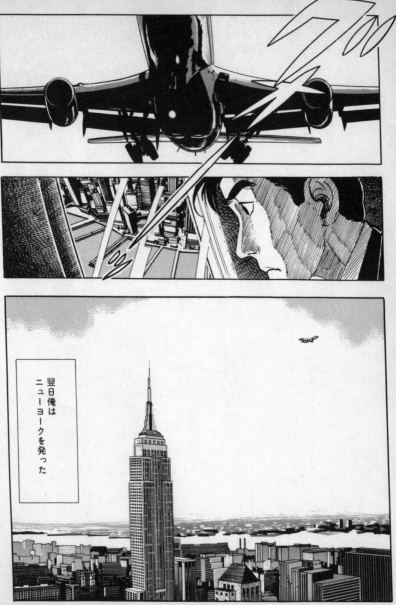

「課長　島耕作」第2巻は、'85年8号、11号、12号、15号、16号、19号、20号、22号、23号に掲載された作品です。
編集部では、この作品に対する皆様の御意見・御感想をお待ちしております。
また、今後「モーニングKC」にまとめてほしい作品がありましたら編集部までお知らせ下さい。

東京都文京区音羽二丁目十二番二十一号〈郵便番号一一二―〇一〉
「講談社モーニング」編集部
モーニングKC係

モーニングKC―62

課長　島耕作 2

一九八六年　三月　十八日　第　一　刷発行
一九九二年　三月　十日　第三十二刷発行
（定価はカバーに表示してあります）

著　者　弘　兼　憲　史
発行者　三　樹　創　作
発行所　株式会社講談社
東京都文京区音羽二―一二―二一
郵便番号　一一二―〇一
電話　編集部　東京（〇三）三九四五―九一一五五
販売部　東京（〇三）五三九五―三六〇八

講談社

印刷所　株式会社　廣　済　堂
製本所　誠和製本株式会社

ISBN4-06-102562-7　(モ)　Printed in Japan